CW00348258

COLLECTION FOLIO

Pascale Robert-Diard

La Déposition

Gallimard

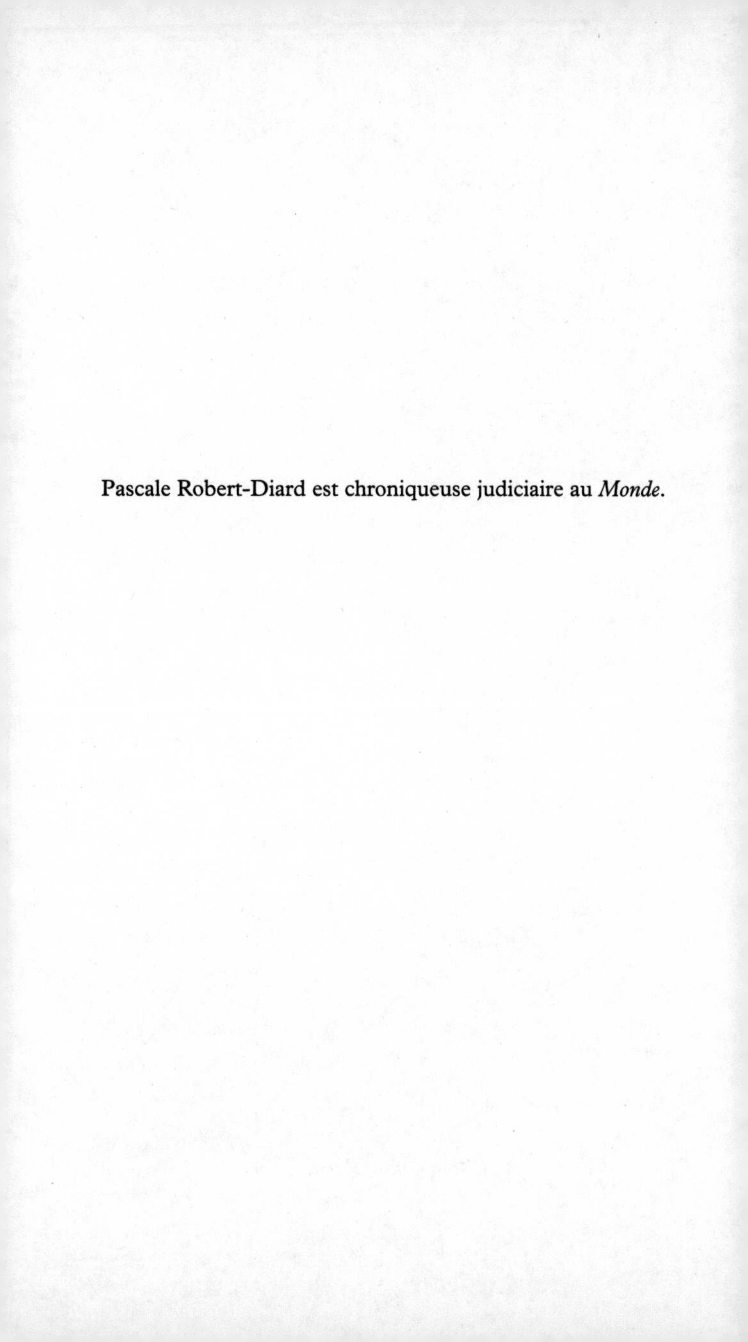

Pascale Robert-Diard est chroniqueuse judiciaire au *Monde*.

En hommage à Jean-Marc Théolleyre

Déposition :
Action de poser hors, de remettre.
Action de destituer une personne.
Ce qu'un témoin affirme en justice.

Littré

Ce lundi 7 avril 2014, dans le TGV Paris-Rennes de 7 h 09, arrivée 9 h 12, j'étais heureuse comme un lundi d'assises. La veille, j'avais revu *1974, une partie de campagne*, le film de Raymond Depardon consacré à la campagne présidentielle de Valéry Giscard d'Estaing. Je ne me lassais pas de l'image du candidat serré à l'arrière d'une voiture, domptant au peigne son unique mèche de cheveux qu'une brise maligne faisait faseyer. Autour de lui, la France était jeune, les garçons portaient des vestes cintrées et les seins nus pointaient sous le tee-shirt des filles. Elles ressemblaient toutes à Agnès Le Roux.

La jeune femme a disparu à l'automne 1977. Son corps n'a jamais été retrouvé.

Au palais de justice de Rennes, on jugeait un vieil homme au teint cireux, au visage mangé par une épaisse barbe blanche, qui était accusé de l'avoir assassinée. J'attendais déjà le moment où, après avoir franchi la porte de la salle d'audience, je laisserais dehors les battements du monde pour ne plus m'intéresser qu'à ce qui se passait là, dans l'espace à la fois étroit et immense du prétoire.

Le procès de Maurice Agnelet entrait dans sa dernière semaine. Les bancs de la presse, sur lesquels nous nous serrions encore au début, s'étaient dégarnis. Nous n'étions plus qu'une poignée à nous passionner encore pour cette affaire et son atmosphère singulière des bords de la Méditerranée, pour la personnalité déroutante d'un accusé de 76 ans qui faisait face pour la troisième fois à une cour et des jurés, et pour le mystère de la disparition de sa maîtresse, dont la voix suppliante enregistrée sur un vieux magnétophone à bande – on percevait le *« clac, pschitt »* de la touche que l'on enfonce avec l'index – s'élevait dans la cour d'assises. Une voix d'époque, comme on le dirait de meubles, avec décor pattes d'éléphant, écharpes en tricot, khôl sur les yeux, Berlioz sur les billets de dix francs, Racine sur les cinquante et Corneille sur les cent.

J'allais retrouver le dernier carré de chroniqueurs judiciaires. Je savais que, comme chaque matin de chaque procès, l'un d'eux arriverait tôt dans la salle, s'installerait à l'extrémité du premier rang, ouvrirait son cahier à spirale et à petits carreaux pour noter, en haut à gauche, la date et l'heure précise, à la minute près, de la reprise de l'audience. Pour rien au monde il ne manquerait ces instants flous, ces minutes d'entre-deux, où les avocats n'ont pas encore enfilé leur robe, où la greffière pose ses dossiers sur son bureau, où de part et d'autre de la barre, on se prépare, on plaisante parfois, avant que la sonnerie qui signale l'entrée de la cour ne fige chacun dans son rôle.

Il m'a envoyé un message qui me disait de venir vite, très vite.

Je revois les visages tendus de stupeur quand je suis entrée. Le président de la cour d'assises, Philippe Dary, venait d'annoncer que le fils aîné de l'accusé, Guillaume Agnelet, s'était rendu la veille chez le procureur de sa ville, à Chambéry en Savoie, pour faire une déposition. Les yeux rivés aux deux feuillets posés sur son pupitre, le président lisait.

« J'ai souhaité vous rencontrer pour vous faire part de mon cas de conscience lié au procès de mon père. Je suis convaincu qu'il est bien le meurtrier d'Agnès Le Roux. J'en suis arrivé à cette conclusion à la suite des révélations que m'ont faites à la fois mon père et ma mère. »

Suivait le récit de trois scènes précises, terribles.

Puis ces mots : *« La démarche que je fais aujourd'hui auprès de vous me coûte énormément. Je sais que ce témoignage va sceller la rupture avec ma famille, c'est-à-dire avec ma mère et mon frère.*

Je crains également la réaction de mon père qui, d'un moyen ou d'un autre, cherchera probablement à se venger. Je suis prêt à venir témoigner devant la cour d'assises de Rennes dans les jours qui viennent. »

La suite fut un long fracas. L'explosion en direct et en public d'une famille et de ses secrets. Et nous derrière, serrés sur les bancs du public, nous attendions juste de voir comment et jusqu'où elle allait les déchiqueter. Ce jour-là, j'ai connu l'effroi. Une sueur glacée, une secousse animale venue de l'intérieur, un ébranlement qui ne passe pas.

Quatre jours plus tard, la cour d'assises d'Ille-et-Vilaine a déclaré Maurice Agnelet coupable d'assassinat et l'a condamné à vingt ans de réclusion criminelle. Trente-sept ans après la disparition de la jeune femme, l'affaire Le Roux avait trouvé son épilogue judiciaire. Une autre histoire était venue la culbuter. Elle se passait juste à côté, elle avait duré presque aussi longtemps et on n'en avait rien su, rien deviné.

Ce fils qui accusait son père, je le connaissais. Je l'avais vu se battre à ses côtés pour soutenir son innocence. J'ai voulu comprendre. J'avais la scène sans les coulisses. La lumière sans les ombres. L'instant, pas l'étirement du temps.

J'ai écrit une longue lettre à Guillaume Agnelet. Il m'a répondu.

Quand je l'ai revu la première fois, sur le quai d'une gare, j'ai deviné au premier regard qu'il avait aussi peur que moi. Nous n'étions plus protégés par les murs d'un palais de justice, par le rôle qu'il assignait à chacun de nous. Lui, fils d'accusé, témoin, répondant face à la cour aux questions du président, de l'avocat général et des avocats. Moi, journaliste, muette, assise parmi d'autres sur un banc dans son dos. L'espace paraissait soudain trop vaste, trop lumineux. Il n'y avait plus d'huissière, plus ce silence épais qui accompagne le rituel de l'audience, plus ce décor de pierre et de vieux bois, plus cette atmosphère de tragédie qui écrase et élève à la fois. Il n'y avait qu'une gare pleine de gens pressés. Et Guillaume Agnelet au milieu d'eux, un sac sur le dos, qui me tendait la main.

D'autres rencontres ont suivi. À chaque fois, j'ai ressenti la même tension, intacte, à m'approcher au plus près des gouffres qu'il avait traversés. À remonter avec lui les années, puis les jours et enfin les heures qui ont précédé la déposition.

Il est le fils du milieu. L'aîné était brillant et épatait son père. Le dernier était handicapé et accaparait sa mère. Les premières années, la famille se serrait au premier étage du 13, cours Saleya à Nice, dans une bâtisse vieil ocre le long du marché aux fleurs, qui abritait l'appartement et le cabinet de maître Maurice Agnelet. L'avocat aimait le reflet de sa silhouette dans le miroir, ses longues jambes serrées dans une toile de velours ras, le pull fin à col romain qui lui rappelait le temps où il se rêvait séminariste et le hoquet de stupeur et d'indignation que provoquait, aux beaux jours, son arrivée au palais, les pieds nus dans des sandales dépassant de sa robe. Il attirait les garçons et plaisait aux femmes, espérait beaucoup de ses amitiés maçonniques, guignait la présidence de la Ligue départementale des droits de l'homme et appréciait que son épouse, Anne, ferme les yeux sur ses infidélités nocturnes.

Guillaume était fasciné par l'épaisse porte capitonnée du cabinet de son père et par la mallette en peau de crocodile avec serrure à code qu'il avait rapportée de Suisse. Mais ce qu'il préférait, c'était sa moto, une vieille BMW 750 que Maurice Agnelet avait achetée aux Domaines lors d'une vente de matériel de la police et avec laquelle il venait parfois le chercher à la sortie de l'école. L'enfant se hissait à l'arrière, ses jambes de 7 ans trop courtes encore pour atteindre les cale-pieds. Le visage collé au dos de son père, il guettait le moment où, passé les faubourgs de la ville, la route devient étroite et serpente dans la montagne. À l'approche de chaque virage, dans l'odeur des pins brûlés de soleil et le sifflement du vent, Guillaume sentait la moto ralentir puis basculer comme si elle allait se coucher dans le fossé avant de se redresser sous l'accélération. Il fermait les yeux de peur et de plaisir en comptant les lacets qu'il leur restait à parcourir, serrait plus fort la taille de son père ; jamais il ne s'est senti plus proche de lui que dans ces moments-là.

Leur maison se trouvait tout au bout de la route du mont Macaron. La cabane de cantonnier où ils passaient autrefois les dimanches était devenue une grande villa avec terrasse qui dominait toute la baie de Nice. Anne portait les cheveux longs et libres, elle coulait des bougies dans des pots en verre colorés en écoutant Jean

Ferrat, Georges Moustaki ou Joan Baez et interdisait à ses fils d'approcher du métier à tisser à deux pédales qui trônait dans le salon. Bientôt, il y aurait une piscine et des fêtes auxquelles Maurice Agnelet, devenu vénérable de sa loge et conseiller municipal, convierait chaque année plus de monde.

Dans le jardin, les trois garçons jouaient à dévaler en hurlant le toboggan de métal dont le rouge commençait à faner au soleil. Thomas inventait des blagues qui le faisaient beaucoup rire. « *Quelle est la différence entre un avion et une pomme de terre ? Réponse : l'avion il vole, et la pomme de terre, elle va dans la terre.* » Jérôme, l'aîné, avait un privilège que Guillaume lui enviait. Son père l'emmenait une fois par semaine au cinéma voir des films « de grands ». Il avait promis aux deux cadets qu'il ferait la même chose avec eux, plus tard.

Mais plus tard est arrivée « l'affaire ». Guillaume avait 8 ans. Il ne se souvenait pas que la brune souriante aux yeux noirs qui lui avait offert une glace un jour qu'elle raccompagnait Maurice Agnelet en voiture s'appelait Agnès. Ce n'est que bien après que ce prénom a envahi sa vie.

La jeune femme était issue d'une famille fortunée de la Côte d'Azur. Son père Henri Le Roux était mort en léguant aux siens les parts qu'il possédait dans le Palais de la Méditerranée, la monumentale bâtisse Art déco de la Promenade des Anglais qui abritait alors le deuxième casino de France. Fidèle à la promesse qu'elle avait faite à son époux, Renée Le Roux avait repris les rênes du Palais et veillait à préserver le patrimoine familial des offensives menées par le propriétaire du casino voisin, Jean-Dominique Fratoni. L'homme était proche de la mafia, il avait le soutien du maire Jacques Médecin qui voulait faire de Nice le Las Vegas français, et il était prêt à tous les mauvais coups pour étendre son empire.

Fratoni avait trouvé en Maurice Agnelet, frère de loge, un allié de choix. L'avocat venait d'être congédié par Renée Le Roux, son cabinet dépérissait et sa rancune était profonde. Il était surtout devenu l'amant de sa fille Agnès, depuis que celle-ci l'avait sollicité pour son divorce.

Des quatre enfants Le Roux, Agnès était la rebelle. Elle détestait cet univers du jeu et des tapis verts qui assurait sa fortune et voulait s'en affranchir tout en réclamant sa part d'héritage. Elle rêvait de créer un journal dont elle avait déjà choisi le titre, *Bleu*, et espérait que son argent convaincrait Maurice Agnelet de quitter femme et enfants pour vivre avec elle. Quand il lui avait suggéré de négocier avec Fratoni, Agnès avait suivi aveuglément ses conseils. En échange de trois millions de francs, elle avait accepté de lui vendre secrètement les pouvoirs qu'elle détenait au sein du conseil d'administration du Palais de la Méditerranée.

Le 30 juillet 1977, la jeune femme avait voté contre sa mère et lui avait fait perdre la présidence du casino au profit de son rival honni. Trois mois plus tard, elle disparaissait. Les agissements de l'étrange et séduisant avocat n'allaient pas tarder à intéresser la police et la justice.

Les garçons ont deviné que quelque chose n'allait pas quand, à l'été 1979, leur mère leur a annoncé qu'elle les emmenait vivre de l'autre côté de la Méditerranée, au Maroc, sans leur père. Mais à cet âge-là, on ne pose pas trop de questions, et puis le Maroc n'était pas complètement une terre étrangère, leur mère leur en avait souvent parlé, c'est là qu'elle était née et avait grandi jusqu'à l'âge de 15 ans. Anne les a mis tous les trois dans une voiture emplie de valises, de cartons de jouets mal ficelés et de bric-à-brac ménager et le voyage via l'Espagne a duré trois jours. Thomas avec son dos malade était assis devant, Jérôme et Guillaume couchés sur les bagages à l'arrière, presque collés au toit, chantaient Brassens à tue-tête.

La famille s'est installée rue Oukaïmeden dans le quartier des « petits Blancs » de Rabat, l'Agdal. La maison, étroite et blanche, ouvrait sur un jardin bordé de néfliers. Anne dormait en haut, les trois garçons se partageaient les deux chambres du rez-de-chaussée, Guillaume et Thomas d'un côté, Jérôme de l'autre. Chaque matin, les deux grands rejoignaient à pied le lycée Descartes, où Guillaume avait fait son entrée en sixième. Anne partait beaucoup plus tôt, elle avait trouvé un emploi de professeur de français dans une école de garçons à Kenitra, à 50 kilomètres au nord.

Souvent, elle se plaignait de leur père. Elle disait que c'était à cause de lui qu'ils avaient dû quitter Nice. Qu'il ne versait pas ce qu'il devait pour les enfants. Qu'il avait même rechigné à payer le corset de Thomas après son opération. Qu'il avait gâché sa vie. Elle était tellement pleine de colère que les garçons ont appris à éviter de prononcer le prénom de Maurice devant elle.

Guillaume et ses frères l'ont toujours appelé comme ça, « Maurice », jamais « papa ». Sans doute Maurice l'avait-il demandé à Jérôme, les deux autres ont suivi.

Il avait pourtant du charme ce père qui leur envoyait des cartes postales du Canada. Radié de l'ordre des avocats à cause de « l'affaire », il avait refait sa vie là-bas avec une autre femme, Françoise, que Guillaume connaissait bien. Il la voyait souvent à Nice, avant, avec son mari et ses enfants. Les deux familles étaient même parties en vacances ensemble. Françoise Lausseure était très riche, comme Agnès. Elle était surtout la fille d'un père généreux qui avait fait fortune dans les produits pharmaceutiques. Elle était drôle, avait un visage pointu, des fous rires en cascade, une voiture décapotable qu'elle aimait conduire vite et elle était follement amoureuse de Maurice Agnelet.

Devenu adolescent, Guillaume s'est mis à trouver beaucoup plus de qualités à cet homme lointain, absent, qu'à sa mère trop présente et mélancolique. Il se disait que Maurice ressemblait au héros du film de Rappeneau, *Tout feu tout flamme*, incarné par Yves Montand, un filou fantasque, insupportable, épuisant et irrésistible.

Sa mère ne l'a pas vraiment retenu quand il a demandé à aller vivre avec son père au Canada. C'était en 1982, il avait 13 ans, cachait ses joues rebondies d'enfance sous de longs cheveux bruns et ses premiers boutons d'adolescent derrière un bandeau d'Indien qui lui barrait le front. Tous les garçons de cet âge rêvaient de ressembler à Björn Borg et Guillaume trouvait que ça allait bien avec la vie au Québec, les promenades en bateau sur le Saint-Laurent, les virées en 4×4 qui se terminaient invariablement dans une ornière. Maurice Agnelet ne travaillait pas ou très peu, il s'accommodait plutôt bien de vivre de l'argent de Françoise. Il l'avait convaincue de l'épouser, elle payait tout, renâclait un peu lorsque Maurice lui demandait de lui avancer, en plus du reste, les arriérés de pensions alimentaires qu'il devait à Anne, mais elle finissait toujours par céder. Guillaume était le seul fils Agnelet au milieu des enfants de Françoise, presque un fils unique, et c'était bon.

Au Maroc, Jérôme passait le bac, il avait 15 ans, disait que plus tard il serait chercheur, lui aussi avait les cheveux longs et commençait à aimer les garçons. Il était excentrique et provocateur, et quand il le revoyait pendant les vacances, Guillaume trouvait qu'il avait du chien avec sa chemise ouverte sur la poitrine et une chaussure de couleur différente à chaque pied. Le dos de Thomas ne tenait toujours pas droit, il n'arrivait pas à nouer ses lacets à cause de son corset, bientôt on lui visserait une armature en fer dans la colonne vertébrale. Anne continuait à réclamer de l'argent à Maurice qui promettait toujours et envoyait rarement.

De temps en temps, « l'affaire » revenait dans la conversation. Elle semblait préoccuper Maurice. Guillaume croyait encore qu'il ne s'agissait que d'une sombre histoire financière du temps où son père était avocat et tout cela ne l'intéressait guère. Mais au beau milieu de l'été 1983, les choses ont brusquement changé. Maurice Agnelet était recherché par la police, le juge qui instruisait le dossier de la disparition d'Agnès Le Roux avait lancé un mandat d'arrêt international contre lui. Guillaume a rangé ses affaires et fait ses adieux au Saint-Laurent. Quelques jours plus tard, le 25 août 1983, à Nice, son père était « inculpé », comme on disait à l'époque, du meurtre de sa maîtresse disparue, et aussitôt envoyé en prison. Il y est resté six mois.

À partir de ce moment-là, Guillaume a appris à vivre avec des hôtes envahissants. Des juges, des policiers, des experts, et par-dessus tout une femme, Renée Le Roux, qu'il imaginait comme une sorte de sorcière malfaisante acharnée à poursuivre son père. Il a même vu arriver, dans la propriété familiale de Cantaron, un bulldozer qui s'est mis à creuser les remblais tout autour de la piscine. Un renseignement anonyme parvenu aux enquêteurs avait indiqué que le cadavre d'Agnès Le Roux pourrait bien s'y trouver. Le juge avait ordonné des fouilles, une équipe de techniciens équipés de gants ramassait scrupuleusement tout ce qui pouvait ressembler à des morceaux d'os et les déposait dans un sac en plastique stérile. Ça le fascinait, Guillaume, de voir tout ce cirque, il savait bien, lui, que les os étaient ceux que les chiens Motus et Belle jouaient à enterrer dans le jardin à tour de rôle.

Anne a été convoquée chez le juge, qui l'a interrogée sur l'emploi du temps de Maurice Agnelet pendant le week-end de la Toussaint 1977 où Agnès Le Roux avait disparu. Elle a répondu qu'elle était incapable de se souvenir

« précisément » de sa présence à Cantaron à cette date, mais qu'il était cependant *« vraisemblable »* qu'à l'époque elle lui avait demandé d'être là tous les jours, à cause des enfants qui étaient en vacances. Quand le juge a essayé d'en savoir plus sur les relations qu'elle entretenait avec son ex-époux depuis leur séparation, elle a dit qu'elle avait *« toute confiance en lui »*. La preuve, a-t-elle précisé, c'est qu'elle lui avait confié Guillaume pour une année scolaire.

À sa sortie de prison, Maurice Agnelet a trouvé refuge chez un peintre parisien, rencontré seize ans plus tôt, en 1968, sur une plage de la Promenade des Anglais où il suffisait aux hommes d'un regard pour aller ensemble se mettre à l'écart. À son ancien amant qui n'avait plus rien, Patrick Poivre a proposé l'annexe de son atelier, une pièce unique dans une arrière-cour triste et sombre. Maurice s'y est installé avec les tomes de son dossier d'instruction. Il s'y abîmait des journées entières. De temps à autre, il partait en chasse, comme il disait, revenait avec les papiers personnels de celles et ceux qu'il avait rencontrés, les rangeait dans une chemise à leur nom. À Poivre qui l'interrogeait sur l'usage qu'il comptait en faire, Maurice répétait sa phrase favorite : *« Ça peut toujours servir. »* Poivre l'avait vu un jour revenir furieux d'un rendez-vous chez un prélat qu'il courtisait, dans l'espoir d'obtenir un poste de secrétaire particulier. Exhibant comme un trophée un caleçon et un maillot de corps qu'il disait appartenir à l'homme d'Église, il menaçait de s'en servir pour le dénoncer à sa hiérarchie.

À l'été 1985, Guillaume et Thomas sont venus le retrouver. Dans la pièce unique, les deux frères tuaient le temps en regardant des séries télévisées pendant que Maurice faisait et défaisait des liasses de procès-verbaux en maugréant contre le sort que lui réservait la justice. C'est là qu'un jour Guillaume a entendu son père lui murmurer :

— *De toute façon, tant qu'ils ne retrouvent pas le corps, je suis tranquille.*

Maurice Agnelet a planté ses yeux dans ceux de son fils. Il a ajouté :

— *Et moi, le corps, je sais où il est.*

Guillaume avait 14 ans. Que fait-on avec une phrase pareille à 14 ans ? On la regarde descendre tout au fond de soi, dans la nuit. On se dit que peut-être on a mal entendu. Ou qu'on a rêvé. On se tait, surtout. On se sent sale d'avoir acquiescé. Parce qu'à cet instant-là, Guillaume n'a rien trouvé de mieux à faire que d'acquiescer. Il a d'abord retenu cela, cette assurance de son père qui le rassurait lui-même. Et puis il s'est convaincu que Maurice était capable de dire n'importe quoi.

D'ailleurs, il n'est pas un père comme les autres, qui sont ennuyeux et sévères. Maurice parle comme un copain. Il présente son fils Jérôme à son ami peintre et ne s'offusque pas de les voir se réveiller le lendemain dans le même lit. Il dit des choses que les autres pères ne disent pas. Par exemple que le bien et le mal n'existent pas. La morale non plus. Il dit que lui, il est *« amoral, pas immoral, hein, tu comprends la différence, fils ? »*. Il enseigne à son garçon que l'important, dans la vie, c'est *« pas vu, pas pris »*. Et puis il part d'un grand éclat de rire et le fils rit aussi en se disant que tout ça, c'est de la plaisanterie.

Pourquoi Guillaume s'inquiéterait-il d'ailleurs ? Un procureur de la République, puis un juge d'instruction, puis d'autres juges encore sollicités par l'opiniâtre ennemie de la famille, Renée Le Roux, apposent les uns après les autres leur paraphe au bas d'un papier à en-tête officiel de la justice française qui affirme qu'*« en l'état des éléments recueillis »* par l'enquête sur la disparition d'Agnès Le Roux, *« il n'y a place aujourd'hui que pour des hypothèses qui ne reposent pas sur un fondement suffisamment solide »*.

En clair, ce jour d'avril 1986, c'en est fini des accusations de meurtre et Guillaume peut enfouir son funeste souvenir. La justice a beau poursuivre encore son père dans l'affaire de la vente des actions du Palais de la Méditerranée, le fils ne se tracasse pas trop. On peut vivre sans peine avec l'idée que son père est, au pire, un petit escroc. Surtout quand on a appris à haïr la victime de l'escroquerie, Renée Le Roux. On peut même en être fier. Lorsque, à sa majorité, Guillaume Agnelet se cherche une signature, il copie celle de Maurice.

Pendant ce temps, Jérôme est devenu chercheur à l'Institut Curie à Paris. Il partage désormais la vie de celui qui a été l'amant de son père. Maurice est furieux, il dit à son fils que tout de même, avec ses *« jolies fesses »*, il aurait dû trouver mieux. Mais depuis peu, Jérôme fatigue, ses traits se sont creusés, son effronterie s'en est allée, balayée par un sentiment nouveau, terreur et rage mêlées. Jérôme a 20 ans et il va mourir. Il a le sida.

Anne est rentrée du Maroc, elle vit à Cantaron avec Thomas. Chaque jour, elle traverse les quelques mètres qui séparent sa villa de celle où Jérôme est hébergé. Il ne peut déjà plus quitter son lit, ses poumons se remplissent de liquide qu'il faut ponctionner régulièrement pour lui permettre de respirer. Son père lui a envoyé un livre par la poste, dont il a souligné des passages que Jérôme a eu le temps de lire avant de sombrer dans le coma. L'un d'eux disait : *« Seuls les malades sont coupables. »*

C'est Guillaume qui s'est chargé de prévenir Maurice de l'agonie de Jérôme. Il a 21 ans, son grand frère est mourant, et lui, ce 19 décembre 1990, il fait le guet. En bas, sur le parking de l'hôpital, il y a Maurice qui a souhaité voir son aîné une dernière fois. En haut, dans la chambre, il y a Anne qui ne veut pas le croiser. Et entre les deux, il y a Guillaume, qui alerte l'un de l'arrivée de l'autre, accompagne sa mère à un bout du couloir, va chercher son père à l'autre bout, ouvre et referme les portes, donne le signal du départ à l'un et celui du retour à l'autre et se protège comme il peut des ténèbres de ces deux adultes trop occupés par leur chagrin pour entrevoir le sien.

Maurice était à peine plus âgé que Guillaume quand il a perdu son propre frère. Robert était son cadet, il étudiait la médecine et était tombé fou amoureux d'une jeune fille qui ne plaisait pas à ses parents. Pas assez riche, avaient-ils tranché. Chez les Agnelet, le père aimait l'argent qui tintait dans la caisse de son commerce de « cuirs et crépins », la mère recouvrait de draps les meubles de l'appartement familial et tous deux rêvaient d'un beau mariage pour leurs enfants. Ils avaient exigé de leur fils qu'il rompe, Robert avait voulu se tuer en avalant des médicaments. « *Un étudiant en médecine ne rate pas son suicide* », lui avait dit son père. Robert s'était enfui de Monaco, il s'était réfugié en Savoie. Quelques mois plus tard, durant l'été 1959, ses parents avaient reçu un coup de téléphone des voisins, qui se plaignaient de l'odeur dans l'appartement que Robert occupait. Le jeune homme avait ouvert le gaz, sa mort remontait à plusieurs jours. C'est Maurice qui a été chargé par ses parents d'aller reconnaître le corps à la morgue. Ils lui avaient dit aussi de se débrouiller tout seul pour les obsèques, la Savoie était trop loin de Monaco, et puis, comme avait dit son père, *« il n'y a plus rien à faire, alors... »*.

Jérôme est mort le lendemain de la visite de Maurice à l'hôpital. À la cérémonie de crémation, quand il a tenté de s'approcher d'Anne, elle l'a repoussé avec une telle violence que Guillaume en a tremblé.

Juste après, Anne lui a dit :

— *Ton père, c'est le diable.*

— *Il est peut-être diabolique, d'accord, mais...*

Elle ne lui a pas laissé le temps de terminer sa phrase.

— *Non. C'EST le diable.*

Dans la villa de Cantaron, Anne n'est plus que détresse et douleur. Sa vie lui semble trop lourde à porter, elle pense en finir, elle ne supporte plus le regard des autres. Elle a peur d'ouvrir le journal, d'y voir encore évoquée « l'affaire ». Car à Nice, on en parle tout le temps. Le casino, l'argent, l'héritière, l'amant, comment se lasserait-on de ce mystère ?

C'est lors d'un de ces soirs de tourment, alors qu'ils étaient seuls à la maison, qu'elle a appelé Guillaume dans sa chambre.

— *Je vais te parler de ton père. Pour que tu saches qui il est vraiment.*

Il s'est approché du lit sur lequel sa mère était assise en tailleur. Elle le regardait avec cet air dur qu'il lui connaissait bien, c'était celui qu'elle prenait chaque fois qu'elle lui reprochait de trop défendre son père, de ne pas la choisir, elle, contre Maurice. Guillaume a pourtant perçu quelque chose de différent. Une détermination, une inflexion dans sa voix qui lui a fait peur.

— *Tout ce que je vais te raconter, je le tiens de lui.*

Guillaume a baissé la tête. Il a écouté les mots rouler. Des mots sans précaution qui lui disent ce qu'il fuit vainement depuis qu'il a 14 ans. Qu'Agnès est morte et que c'est Maurice qui l'a tuée. Anne en sait bien plus encore et depuis bien longtemps. Elle dit que ça s'est passé pendant le week-end de la Toussaint 1977, en Italie, dans un coin isolé des environs de Monte Cassino où Maurice et Agnès s'étaient arrêtés pour passer la nuit.

— *Il a tiré pendant qu'elle dormait.*

Dans les films et dans les mauvais rêves aussi, on peut voir un homme tirer sur une femme, la nuit, dans un coin isolé de la campagne. Ce ne sont encore que des images. Mais il y a les mots d'après.

— *Maurice a crié « au secours ! » pour voir si quelqu'un avait entendu le coup de feu. Parce que si quelqu'un s'était approché, il aurait dit qu'Agnès venait de se suicider.*

Au cinéma et dans les rêves, on ne *pense* pas à crier *« pour voir si quelqu'un a entendu »*. Et son père a *pensé* que si quelqu'un venait, il *dirait* qu'Agnès s'était suicidée.

Guillaume a levé les yeux sur sa mère et les a aussitôt détournés. Elle ne s'est pas interrompue. Elle a dit qu'après, Maurice a déposé le corps nu d'Agnès en contrebas d'une route, jeté son arme par-dessus un pont, et roulé jusqu'à la frontière franco-italienne. Qu'il a abandonné la Range Rover d'Agnès sur le parking d'une gare avec les clés sur le compteur et qu'il est rentré à Nice en train.

— *Voilà. Je voulais que tu le saches, c'est tout, pour que tu ne te fasses pas d'illusions sur ton père.*

Guillaume a quitté la chambre, Anne ne l'a pas retenu. Pas un regard, pas un baiser. Il est allé dans le salon et il a regardé la télévision jusqu'à la fin des émissions.

Il était devenu le fils aîné.

« Pour faire garder le secret, on n'eut jamais besoin de supplices [...] Le secret se recommandait comme tout seul, et par sa propre importance. »

Bossuet, *Discours sur l'histoire universelle*

C'est Guillaume qui a fait la proposition.

— *Vous voulez voir la maison ?*

Bien sûr que je voulais. Elle a surgi au bout d'une impasse, sur les hauteurs de la ville. Elle avait la beauté étrange d'une vieille bourgeoise abandonnée qu'un printemps vigoureux était venu encanailler. L'herbe mangeait le portail et sur la façade aux volets clos s'étiraient les branches emmêlées d'un rosier en fleur. Cette maison de Chambéry, qui appartenait aux grands-parents maternels de Maurice Agnelet, est celle dans laquelle Guillaume a vécu avec son père pendant sept ans. Il occupait l'étage avec sa compagne et sa fille alors âgée de quelques mois, quand Maurice lui avait annoncé son retour en France.

Il s'était installé dans les trois pièces du rez-de-chaussée qui sentaient l'âcre et la poussière. Les câbles serpentaient sur le plancher, se hissaient au sommet d'un buffet ou s'accrochaient aux angles du plafond, retenus par des fils de fer grossièrement tressés. Les étagères ployaient sous un fatras d'horloges, de briquets, de lampes de poche, de piles achetées au kilo, de vieilles clés qui n'ouvraient plus rien et de tire-bouchons dont il faisait collection. Maurice Agnelet ne s'était offert qu'un seul luxe, un réfrigérateur américain qui faisait des glaçons. Il triomphait au milieu de la cuisine, entre l'évier à l'émail usé et le vieux garde-manger dans lequel s'alignaient par dizaines des boîtes de conserve et des bouteilles d'apéritif entamées qui dessinaient, sur le morceau de toile cirée punaisé à la planche, des ronds de colle sucrée.

La chambre était pire encore, avec son empilement de matelas et ses deux écrans de télévision que Maurice Agnelet avait l'habitude de laisser allumés jusque tard dans la nuit, regardant un documentaire sur l'un, un film sur l'autre jusqu'à ce que Guillaume cogne au plancher pour lui demander de baisser le son.

La justice avait retrouvé la trace de l'ancien avocat au Panamá, où il s'était posé après plusieurs années d'errance sur le continent américain. Ses parents étaient morts, lui laissant en héritage des mètres carrés de boutiques, de caves, de garages, de petits appartements accumulés à Monaco, qui, au fil du temps, avaient fini par constituer un précieux patrimoine. Maurice Agnelet s'employait à gérer au mieux sa fortune loin des yeux de l'administration fiscale française, quand « l'affaire » s'était soudainement rappelée à lui.

À Aix-en-Provence, en ce début de l'année 2000, une nouvelle juge l'attendait. La ténacité de Renée Le Roux avait payé. Plus de vingt ans avaient passé depuis la disparition inexpliquée de sa fille, mais Renée Le Roux avait fini par convaincre la justice de rouvrir une instruction contre Maurice Agnelet pour *« recel de cadavre »*. Le danger était venu de Françoise, sa seconde épouse. Le couple s'était déchiré des années plus tôt et ne se parlait plus que par huissiers interposés. Françoise avait détruit le testament par lequel, du temps de sa passion, elle avait légué à Maurice Agnelet une bonne part de sa fortune familiale. Elle avait exigé le divorce, il multipliait les procédures pour l'empêcher de l'obtenir. Surtout, Françoise avait peur de cette affaire qui n'en finissait pas et qui la menaçait, elle, depuis qu'elle était visée pour *« complicité de recel de cadavre »* dans la plainte déposée par Renée Le Roux.

La juge Anne Vella s'intéressait beaucoup à cette femme qui redoutait désormais l'homme qu'elle avait aimé. Elle l'avait convoquée et Françoise s'était mise à parler. C'est à la demande de Maurice Agnelet, avait-elle raconté, que vingt-deux ans plus tôt, lors de la première enquête, elle avait menti en affirmant qu'il était avec elle à Genève dans la nuit du 27 au 28 octobre 1977. À l'époque, juste avant qu'elle ne soit interrogée par la police, Maurice lui avait donné rendez-vous sur un parking d'autoroute. Il lui avait juré qu'il était innocent du meurtre d'Agnès mais qu'il ne pouvait pas justifier de son emploi du temps. *« Tu n'as qu'à dire que j'étais avec toi en Suisse »*, lui avait-il suggéré. L'amoureuse avait suivi la consigne, Maurice s'était chargé du reste. En rentrant de Genève, avait-il expliqué, Françoise l'avait déposé à Lyon et il avait pris le train pour Paris afin d'assister à un congrès de la Ligue des droits de l'homme qui élisait ses délégués. Les enquêteurs avaient vérifié, son mandat de congressiste n'avait pas été retiré ce jour-là. Maurice avait alors corrigé un peu son récit. Il n'avait fait qu'un rapide passage au congrès de la Ligue et il était ensuite allé se promener dans Paris avant de rentrer en avion à Nice où Françoise était venue le chercher. Les amants, assurait-il, avaient alors rejoint le petit appartement loué par Françoise pour abriter leurs amours.

Réentendue par la juge, Françoise Lausseure livre désormais un autre récit de ce long week-end de la Toussaint 1977. « *Nous avions bien projeté de le passer ensemble, mais au dernier moment, il m'a laissée tomber. La seule chose qui est exacte dans ce qu'il raconte, c'est qu'il est rentré à Nice le dimanche matin et que je suis allée le chercher en voiture* », dit-elle. À la juge qui lui demande pourquoi elle a accepté de fournir ce faux témoignage à son amant, elle répond :

— *Je le croyais quand il m'a affirmé qu'il n'avait pas tué Agnès Le Roux. Enfin, je voulais le croire.*

La volte-face de Françoise Lausseure, qui retirait à Maurice Agnelet son seul alibi solide, avait suffi à relancer l'affaire. Bien sûr, on se méfiait un peu de cette épouse en instance de divorce et de la soudaine rancune qui semblait l'animer. Mais il n'y avait pas que cela dans sa déposition. Françoise Lausseure expliquait aussi qu'au milieu des années 1990, lors de l'un de ses séjours en France, elle avait rencontré Anne Litas dans un café, à sa demande. Les deux femmes avaient parlé de Maurice et de la peur que son comportement leur inspirait. « *Au cours de cette conversation, Anne Litas m'a fait une confidence qui m'a ébranlée*, déclare Françoise Lausseure. *Elle m'a dit que Maurice lui avait avoué qu'il avait tué Agnès.* »

La seconde épouse de Maurice Agnelet ne s'arrête pas là. Aux enquêteurs, elle confie qu'elle connaît bien Patrick Poivre, l'ancien amant de Maurice, qui fut ensuite le compagnon de son fils Jérôme. Il lui a montré les lettres pleines de rage que le jeune homme lui a adressées alors qu'il se savait condamné par la maladie. Parmi elles, une carte postale envoyée du Maroc quelques mois avant sa mort. Jérôme avait tenu à revoir une dernière fois ce pays où il avait passé son enfance. Au dos d'une vue du Souk des Babouches à Marrakech, il a écrit : *« Une carte pour dire encore et toujours que mes parents sont des assassins, que j'ai ouvert un sac pour les y mettre tous les deux, qu'ensuite il faudra jeter le sac dans un dépôt de déchets radioactifs. »*

« Assassins », le mot intrigue évidemment la juge d'instruction. Patrick Poivre est convoqué à son tour. Lui aussi n'est désormais plus que rancœur à l'égard de Maurice Agnelet. Il a apporté la carte postale de Jérôme. Quand il l'avait revu sur son lit d'hôpital, si maigre, si faible, il n'avait pas osé lui demander ce qu'il fallait en penser.

« C'est un faux. Tout est faux ! » s'exclame Maurice Agnelet quand la juge pose devant lui la carte postale de son aîné, désormais versée au dossier. *« Mes deux fils, Guillaume et Thomas, sont prêts à en attester »*, ajoute-t-il. Ce n'est pas à eux mais à un expert en graphologie qu'Anne Vella soumet le texte. L'écriture de Jérôme est formellement authentifiée, Maurice change de registre et s'indigne des méthodes d'une juge qui n'hésite pas à instrumentaliser la détresse d'un

jeune homme mourant pour tenter de faire tenir une accusation criminelle contre son père.

Avec le même aplomb, il balaie les affirmations de Françoise Lausseure concernant le faux alibi qu'elle lui aurait donné pour le week-end de la Toussaint 1977. Anne Vella tente de le piéger :

— *Monsieur Agnelet, lors de votre séjour à l'hôtel de la Paix à Genève, fin octobre 1977, avec Mme Lausseure, votre chambre donnait-elle sur le lac ou sur la rue ?*

Il lui répond en soutenant son regard :

— *Madame la juge, lorsque je fais l'amour, je n'ai pas pour habitude de regarder par la fenêtre...*

Maurice Agnelet fanfaronne mais à Cantaron, où vit toujours Anne, à Tahiti, puis à Nouméa, où Thomas s'est installé, à Chambéry, où Guillaume partage la maison avec son père, l'inquiétude monte. Leurs conversations téléphoniques sont brèves et prudentes, mais trahissent leur fébrilité. Chaque jour, en rentrant de son travail, Guillaume s'arrête chez son père pour prendre des nouvelles. Il le trouve assis à son bureau, près de la fenêtre, où il a installé son ordinateur et une imprimante, cerné par les piles à l'équilibre précaire des tomes de son dossier d'instruction. Sur l'une des chemises à sangle, Maurice Agnelet a noté de sa main cette phrase empruntée aux *Justes* d'Albert Camus : « *J'ai choisi d'être innocent.* »

De temps en temps, Guillaume le voit s'écrire des lettres. Il note l'adresse – la sienne – au crayon à papier sur l'enveloppe et va la glisser dans une boîte à lettres. Lorsqu'elles lui reviennent un ou deux jours plus tard, portant le cachet de la poste, il efface l'adresse et les classe par date dans une boîte. Il en avait des dizaines comme cela. « *Ça peut toujours servir* », répétait-il.

À Guillaume qui ne comprenait pas, Maurice avait expliqué :

— *Eh bien, si un jour tu dois prouver que tu as bien posté une lettre à quelqu'un à une date précise, tu choisis l'enveloppe avec le bon cachet, tu écris l'adresse du destinataire, tu la remets dans une boîte à lettres et le tour est joué.*

Guillaume appelait cela les « *leçons de choses de Maurice* ». Il les gardait pour lui. Avec qui les aurait-il partagées ? C'était sa vie désormais, lui en haut, son père en bas, et « l'affaire » qui les soudait. Guillaume n'invitait plus ses copains à la maison, il n'avait pas envie de leur présenter Maurice, tout le monde n'a pas un père accusé d'assassinat.

Maurice lui avait appris à se méfier des conversations au téléphone et des policiers, à l'autre bout, qui pouvaient les écouter. Anne était devenue vigilante, elle aussi. Elle avait proposé à Guillaume de mettre au point un code pour qu'ils puissent se parler sans risque, depuis une cabine téléphonique. C'est Guillaume, féru d'informatique, qui avait trouvé la bonne idée.

— *Comme tu es Mac et que moi je suis PC, tu m'appelleras en disant : « Je vais m'acheter un PC. » Comme ça, je ne pourrai pas me tromper, ça voudra dire qu'il faut que je te rappelle d'une cabine.*

Le code n'avait pas servi, Guillaume l'avait oublié. Jusqu'à ce jour du printemps 2004 où, au beau milieu d'une conversation, Anne lui a dit qu'elle allait s'acheter un PC. Guillaume n'a pas relevé. Elle a dû répéter trois fois la phrase pour qu'il comprenne enfin. Quand ils se sont parlé, chacun depuis une cabine, Anne lui a raconté qu'elle sortait de garde à vue. Ça avait duré presque quarante-huit heures, elle était en rage, les policiers avaient forcément fait exprès de choisir la date de son anniversaire pour la convoquer, disait-elle. Ils l'avaient harcelée de questions sur le témoignage de Françoise Lausseure et les confidences qu'elle lui aurait faites. « *Je ne m'en souviens pas. Ce sont sûrement des élucubrations* », avait-elle dit. Ils avaient surtout insisté sur les propos tenus par l'un de ses amis intimes, Richard, qui avait lui aussi été retenu en garde à vue. Les policiers étaient convaincus que cet homme, qui connaissait bien le couple Agnelet et avait appartenu à la même loge que Maurice, en savait plus qu'il ne voulait l'avouer sur l'affaire Agnès Le Roux. Après de longues heures d'interrogatoire, il avait fini par reconnaître qu'il avait eu une liaison avec Anne, durant les mois qui avaient suivi la mort de son fils Jérôme. C'est à cette époque, avait-il dit, qu'un soir de désarroi, elle lui avait confié avoir reçu de Maurice Agnelet des *« révélations épouvantables »* à propos de la disparition d'Agnès.

De la cabine téléphonique où elle se sentait à l'abri des oreilles indiscrètes, Anne avait insisté auprès de son fils sur le fait qu'elle avait *« bien sûr »* tout démenti. Elle conseillait à Guillaume d'être prudent s'il était interrogé à son tour. Guillaume avait compris le message.

En ce printemps 2004, Maurice Agnelet avait classé avec soin le procès-verbal D904 du 25 mai dans lequel Anne déclare : *« Je ne connais pas ces "révélations épouvantables". Je ne sais pas de quoi il s'agit. Maurice Agnelet ne m'a jamais dit de telles choses, ni demandé de me taire à leur sujet. Je n'ai jamais rien su au sujet de la disparition d'Agnès Le Roux. »*

— *Quelle bonne femme magnifique ! Admirable. Elle a toujours été admirable, Anne !*

C'est Maurice Agnelet qui parle. La caméra tourne. Derrière la caméra, il y a Guillaume. La vidéo est une idée de son père pour s'entraîner à parler devant les jurés. Il voudrait, dit-il, *« leur raconter la saga, le cheminement, de, euh, Agnès Le*

Roux jusqu'aux dernières semaines du mois d'octobre avant que, euh, elle parte ». En tout, l'enregistrement dure huit heures. Maurice Agnelet est assis dans son coin favori, près de la fenêtre, il porte une veste noire sans manches, sur un pull épais, noir également. Derrière lui, sur la porte fermée qui sépare cette pièce du couloir, il a épinglé des pages découpées dans des magazines. Les deux célèbres portraits de l'Afghane aux yeux verts, saisis à dix-sept ans d'écart par le photographe américain Steve McCurry, qui avaient fait la couverture du *National Geographic* en 2002. Une affiche de la chronologie de l'Univers depuis le big bang, une autre sur la dissection d'une cellule jusqu'à la molécule ADN. Et en dessous un dessin d'enfant représentant un bonhomme de neige à côté d'un sapin.

Son père se prépare à comparaître devant les assises sous l'accusation d'assassinat, et Guillaume l'aide. Quoi de plus naturel ? Thomas est loin, il est resté le petit, il a toujours été protégé des vents mauvais. Jérôme, le brillant Jérôme, n'est plus. Guillaume a enfin trouvé sa place et son rôle auprès de Maurice. Il est le bon fils.

Tout, dans sa voix, l'exprime. Elle est jeune encore, sérieuse, concentrée. Elle veut bien faire, cette voix, elle voudrait tellement croire ce que raconte le père. Maurice Agnelet parle de la famille Le Roux, du Palais de la Méditerranée et de toutes les péripéties qui ont amené Renée Le Roux à en prendre la direction puis à la perdre. Il se donne le beau rôle, évoque le moins possible Agnès, rend hommage plusieurs fois à Anne, s'attarde avec complaisance sur ses succès féminins, digresse, évoque le rêve qui était le sien de devenir *« avocat international à l'Onu, ce truc magnifique ! »*, revient au dossier. Quand il se perd et que ses mots s'emmêlent à chaque passage dangereux de son dossier, la voix de Guillaume intervient avec prudence, *« ça, c'est pas clair, redis-le »*, relance, reformule la question. Maurice Agnelet n'aime pas trop ces interruptions, il rajuste du bout de l'index ses lunettes sur son front en répétant mécaniquement ce geste.

Parfois la voix de Guillaume se fait un peu plus interrogative : *« Depuis ce 26 octobre 1977, tu n'as pas revu Agnès Le Roux ? — Ah ! non, je ne l'ai pas revue. »* Et elle semble obéir, comme le ferait un animal dompté. *« OK, d'accord. »* Dans le flot décousu des paroles de Maurice Agnelet, la voix du fils s'accroche à chaque branche qui lui paraît un peu solide. Elle devient alors ferme, apaisée – soulagée ? Le plus souvent, Maurice Agnelet fait lui-même les commentaires. *« Peut-être qu'il faudra que je dise ça aux jurés » ; « Ils vont pas comprendre les jurés » ; « Le procureur va en faire un pataquès de ce truc »*. Il s'étire sur sa chaise, les mains posées sur le crâne. *« Bon, là, on va s'arrêter un peu, parce que je fatigue. Suite au prochain numéro. Inch'Allah !* »

Le soir après le tournage, pendant que sa compagne et sa fille dorment à l'étage, Guillaume passe encore des heures à incruster sur l'image les références des documents cités et leur cotation dans le dossier d'instruction, des précisions de chronologie ou d'identité pour que son père puisse s'y retrouver plus facilement.

Surtout, il lit le dossier, tout le dossier. Il voit bien que dans la vidéo, Maurice raconte dans le détail l'histoire du Palais de la Méditerranée mais qu'il reste évasif sur les faits qui lui sont reprochés. Guillaume commence à bien connaître l'autre histoire, celle des relations de son père avec Agnès Le Roux. Il l'appelle Agnès maintenant. Il sait presque tout de son intimité, rien n'est plus impudique, obscène même, qu'un dossier d'instruction. Il y a les témoignages de ses nombreux amis, ceux de sa famille, toute l'enquête qui a radiographié sa vie, mais il y a surtout ses mots à elle. Ceux qu'elle couchait frénétiquement sur les pages de son journal intime, de son écriture ronde, presque enfantine, l'écriture d'une jeune femme amoureuse et triste, qui abdiquait sa fierté, sa raison, son indépendance devant lui, l'amant, et se reprochait à la fois d'être trop soumise et de ne pas l'être assez.

Quand Guillaume lit ces pages, il est à peine

plus âgé que l'amante suppliante qui les écrivait à son père. *« Aimer, c'est donner. Tu as l'amour avare » ; « J'étais comme un oiseau sur la branche mais sans branche. Tu m'as proposé d'être la branche » ; « Je t'en veux parce que je n'arrive pas à penser que j'ai tort de croire en toi. Je t'en veux parce que c'est si beau de croire » ; « Je suis seule à te vouloir. Peut-être à y croire »*.

Cette fille qui se donne tout entière fait rêver Guillaume. Le bouleverse aussi. Il se soûle de ses mots, soupire avec elle des attentes que Maurice ne comble pas, des questions auxquelles il ne répond pas. Guillaume se sent amoureux d'elle, de sa tristesse et de ses enfantillages. Pas tout à fait comme le serait un amant, plus comme un ami et un frère. Il aime son exigence, le regard juste qu'elle porte sur la valeur des choses et, par-dessus tout, il admire son esprit rebelle, sa détermination à se désencombrer de son statut d'héritière de casino – il connaît par cœur les phrases de son journal intime où elle parle de cet argent *« malsain »* – et sa peine quand elle voit que, toujours, Maurice l'y ramène. *« J'étais venue voir Maurice, j'ai trouvé le Palais de la Méditerranée et ses intrigues »*, note-t-elle au lendemain d'un week-end que les amants ont passé ensemble. Elle lui écrit : *« Oublie mon nom, mais essaie de ne pas oublier mon prénom, Agnès. »* S'il osait, Guillaume dirait qu'il la trouve profondément vivante. Au fond, elle est ce qu'il n'est pas, ce qu'il aurait aimé être. Lui, il commence beaucoup de choses mais il s'arrête en chemin. D'ailleurs, il a commencé à écrire sur elle, quelques pages laborieuses, et là encore il a abandonné. Il lui reste le titre : *Quelqu'un que j'aurais aimé connaître*.

De tout cela, il ne parle pas à son père, il se moquerait. Maurice serait même capable de lui dire comment elle aimait être prise, par-dessus ou par-dessous, par-devant ou par-derrière, dans la soie ou contre un arbre, à deux ou à trois, il le lui a déjà raconté un peu, sur Agnès et sur les autres femmes, ça le fascine et ça le dégoûte, Guillaume, Maurice le voit bien, c'est sans doute pour ça qu'il continue, on dirait qu'il aime bien produire de la gêne mauvaise chez les gens, c'est sa façon de les dominer.

Ils sont assis, face à face, dans la cuisine de la maison de Chambéry et ils répètent. Depuis que la date du procès de Nice est connue – il doit s'ouvrir le 26 novembre 2006, pour quatre semaines – Guillaume retrouve chaque jour son père, week-end et jours fériés compris, pour l'aider à se préparer, en plus bien sûr des rendez-vous réguliers à Lyon au cabinet de son avocat, François Saint-Pierre, auxquels il n'assiste pas. La séance dure deux ou trois heures, elle a lieu le plus souvent le soir, mais parfois Guillaume rentre à l'heure du déjeuner pour reprendre la discussion là où elle a été interrompue.

Il se sent soldat, *« sergent d'infanterie »*, dit-il, préparant l'offensive. Le procès de son père est devenu son combat, ses ennemis sont devenus les siens, l'enquête et les charges qui pèsent contre lui ne sont rien d'autre que des obstacles placés par leurs adversaires et qu'il faut trouver le moyen de surmonter, de contourner. Il n'y a plus de place pour le trouble. Le trouble, c'est bon pour les temps de paix, et là, c'est la guerre.

Guillaume joue tous les rôles, président, procureur, juré, avocat de la partie adverse. Quand il pose les questions, il essaie d'être rigoureux, même un peu dur, ce n'est pas simple en général pour un fils vis-à-vis de son père, ça l'est encore moins avec Maurice.

— *Qu'est-ce que tu vas dire sur les annotations dans la Pléiade ?*

Il y en a quatre et Guillaume a bien compris que pour l'accusation, ces lignes manuscrites constituent une charge sérieuse contre Maurice Agnelet, une sorte de fil rouge de l'assassinat qui lui est reproché. Maurice avait vendu sa collection à son ancienne collaboratrice au cabinet, il en avait gardé quelques-uns, dont ceux sur lesquels elle avait remarqué ces étranges annotations. Les cinq volumes, Montaigne, Gide, Rimbaud et les deux Hemingway, se trouvaient dans la chambre à coucher de Cantaron, dans la partie de la bibliothèque réservée à Anne.

Sur la première page des *Œuvres complètes* de Montaigne, Maurice avait écrit : *« 17 mai 1977-Genève-PM-PV-Amitiés ».* Les initiales PM-PV sont celles que l'avocat utilisait dans ses dossiers relatifs aux affaires du casino du Palais de la Méditerranée. La mention « PV », pour Palais vénitien, correspond au nom de la société propriétaire du casino. La date du 17 mai 1977 est celle de son premier voyage en Suisse avec Agnès Le Roux. Les amants avaient remonté les Alpes à moto, ils s'arrêtaient de temps à autre pour faire l'amour au pied des arbres, Agnès était heureuse. Arrivés à Genève, ils étaient allés ensemble dans une banque, Agnès avait ouvert un compte pour y déposer l'argent versé par Jean-Dominique Fratoni, en échange de sa promesse de voter contre sa mère à l'assemblée générale du Palais de la Méditerranée. Elle avait aussitôt signé un document qui donnait entière procuration sur ce compte à Maurice.

Dans le *Journal* d'André Gide, une autre annotation indique : *« 30 juin 1977-Sécurité-PM-PV »*. Le 30 juin 1977, Agnès Le Roux prend place autour de la table qui réunit tous les actionnaires du Palais de la Méditerranée, dont sa mère et l'une de ses sœurs qu'elle défie du regard. Son avocat et amant est assis à côté d'elle, qui lui murmure ses consignes. Le scrutin s'ouvre, la voix d'Agnès fait basculer la majorité au profit de Jean-Dominique Fratoni.

Dans les *Œuvres complètes* de Rimbaud, troisième note manuscrite : *« 7 octobre 1977-Le Bateau ivre-Classement dossiers PM-PV »*. Dans la nuit du 6 au 7 octobre, Agnès Le Roux est transportée à l'hôpital après une tentative de suicide. Quelques semaines plus tôt, elle avait déjà avalé des médicaments et s'était étonnée à son réveil des ecchymoses qui marquaient ses épaules. Cette fois, ce sont les points de suture à son poignet qu'elle ne comprend pas. Elle n'a pas le souvenir de s'être entaillé les veines, elle le dit à Maurice au téléphone. Comme il en avait pris l'habitude, Maurice avait enregistré leur conversation sur son magnétophone, il n'imaginait pas qu'un jour les bandes seraient retrouvées et transcrites dans le dossier d'instruction. *« Il faudrait que nous en reparlions, si tu le veux bien. Ou faut-il, pour je ne sais quelle raison, la laisser dans l'ombre ? »* demande Agnès à son amant.

L'annotation la plus ennuyeuse figure dans l'un des deux tomes des *Œuvres romanesques* d'Ernest Hemingway. *« Mercredi 2 novembre 1977-Reclassement dossier-PM-PV-Liberté ».* Le week-end de la Toussaint vient de se terminer, Agnès a été aperçue pour la dernière fois cinq jours plus tôt, elle semblait épanouie, elle avait fait assurer sa voiture – c'était encore l'époque où il fallait une carte verte pour circuler en Europe – et annoncé à l'une de ses amies qu'elle partait *« en week-end en Italie ».* Elle n'a plus jamais donné signe de vie.

— *C'est chiant ces annotations*, dit Guillaume.

Mais Maurice a réponse à tout. D'abord, il explique qu'il a griffonné des petits mots dans chacun de ses livres de la Pléiade. Guillaume sait bien que, malheureusement, les enquêteurs ont vérifié et que ce n'est pas vrai, en tout cas que les autres et rares mentions manuscrites n'ont rien à voir avec ces quatre-là, que nulle part ailleurs il est écrit « PM-PV ». Passons. Maurice poursuit. *« Amitiés »*, chez Montaigne, c'est une référence à La Boétie, *« Montaigne et La Boétie, tu sais bien Guillaume... »*. Pour *« Le Bateau ivre »*, il n'y a pas de quoi s'étonner, tout le monde connaît le poème de Rimbaud, et d'ailleurs, c'est aussi le nom du restaurant à Nice où il a déjeuné ce jour-là avec son autre maîtresse, Françoise. Guillaume se dit, mais il le garde pour lui, que ce n'est pas très convenable d'aller au restaurant avec une maîtresse quand l'autre est à l'hôpital après une tentative de suicide, mais bon, l'indélicatesse n'est pas un crime, ni même un délit, quant à la morale et aux convenances, Maurice lui a toujours dit qu'il s'en fichait, alors... Et puis, enfin, il est avocat, et c'est normal pour un avocat de classer, voire de reclasser les dossiers dont on a la charge. Quant à *« Liberté »*, franchement, quand on connaît la vie d'Hemingway, *« tu ne la connais pas, Guillaume ? Je vais te la raconter »*, son engagement de correspondant de guerre aux côtés des républicains espagnols en 1936, puis au sein de l'armée de libération américaine lors du Débarquement de 1944, *« Liberté »*, donc, dans un livre d'Hemingway, cela n'a rien d'étonnant, sauf pour des incultes.

— *Qu'est-ce que tu vas dire sur le mot d'Agnès ?*

À cette question, Maurice Agnelet réagit comme l'huître au filet de citron : son visage se rétracte vivement, puis reprend sa forme. Le « mot d'Agnès » hante le dossier d'instruction depuis le début. C'était en septembre 1978, le juge chargé de l'enquête sur la disparition d'Agnès Le Roux avait pris tout le monde de court en décidant d'une perquisition au cabinet de Maurice Agnelet. L'avocat était d'autant plus convaincu que son cabinet constituait un inviolable sanctuaire qu'il comptait bon nombre de frères de loge maçonnique parmi les magistrats et les policiers niçois. Et puis, quand on préside la Ligue départementale des droits de l'homme, on se pense à l'abri des curiosités intempestives.

Le juge était entré, s'était dirigé vers son bureau et avait ouvert le premier tiroir. Un document lui avait sauté aux yeux. C'était la photocopie d'un mot manuscrit signé d'Agnès – *« Désolée, mon chemin est fini, je m'arrête, tout est bien, je veux que ce soit Maurice qui s'occupe de tout. »* À la vue du papier, Maurice Agnelet avait blêmi et chancelé. Son trouble n'avait pas échappé au juge qui avait demandé au greffier de le consigner sur le procès-verbal.

Ce mot d'Agnès, le juge le connaissait déjà. Il avait été découvert quelques mois plus tôt, punaisé bien en évidence sur une table, lorsque les enquêteurs avaient forcé la porte de l'appartement de la jeune femme. Comment l'avocat pouvait-il être en possession de la copie de ce document ? Et surtout de quand datait l'original dont le haut de page avait été déchiré ? Le juge avait été saisi d'une terrible intuition. Et si Maurice Agnelet avait réutilisé, à l'insu d'Agnès et pour tromper les enquêteurs, une lettre de détresse rédigée par sa maîtresse lors de sa première tentative de suicide ? Il serait alors venu déposer lui-même dans l'appartement le texte amputé de sa date après la disparition d'Agnès pour que chacun croie à son départ volontaire.

— *Qu'avez-vous fait du corps d'Agnès Le Roux ?* lui avait brusquement demandé le juge d'instruction.

Le bâtonnier de l'ordre des avocats, qui assistait à la perquisition chez son confrère comme c'est la règle, avait aussitôt protesté contre cet interrogatoire sauvage. L'incident avait laissé à Maurice Agnelet le temps de se ressaisir.

— *Je ne l'ai pas tuée.*

Encore bouleversé par sa trouvaille, le juge avait alerté le procureur de la République. Quelques heures plus tard, Maurice Agnelet ressortait pourtant libre du palais de justice, sans être mis en cause. Le représentant de l'accusation était franc-maçon, *« de la boutique »* comme dit Maurice.

Mais il y a surtout l'argent d'Agnès. Ces millions de francs versés par Fratoni et déposés sur le compte en Suisse, dont Maurice s'est emparé moins de trois mois après la disparition de sa maîtresse, en transférant l'argent sur un autre compte dont il est le seul bénéficiaire. L'accusation y voit le mobile du crime. Aux questions de Guillaume, Maurice se contente de répondre de sa voix stridente :

— *Elle me l'a donné. Cet argent est à moi. À moi !*

Tout cela pèse lourd, Guillaume le sait. Mais il est comme un fils qui aurait appris à vivre avec le cancer de son père et se répète qu'il va s'en sortir, même quand les résultats ne sont pas bons, surtout quand ils ne sont pas bons. Ainsi passent les jours, les semaines et les mois de cette année 2006, dans le huis clos de la maison de Chambéry. Et puis de toute façon, Agnès a « disparu ». Il n'y a que ce mot-là dans le dossier d'instruction. La disparition.

« LE ROUX, Agnès, Gloria. Taille : 176 cm ;
Sexe : féminin ; Corpulence : entre normale et menue ; Cheveux : noirs, longs (atteignant les épaules), assez épais, très bouclés, tirés vers l'arrière ; Visage : taches de rousseur en faible quantité ; Yeux : marron foncé, dimension moyens grands, verres correcteurs possibles (myopie), portait peut-être des lunettes de soleil ; Sourcils : noirs, épais, modérément épilés ; Pilosité : légère, absente au visage et aux lèvres ; Front : légèrement bombé ; Nez : fin, sans déviations, légèrement concave de profil, pointe normale ; Dents : petit écartement entre les deux incisives supérieures ; Bouche : dimension moyenne, lèvre supérieure normale, lèvre inférieure légèrement épaisse ; Oreilles : normalement collées, implantation moyenne sur l'axe de la mâchoire, lobes normaux non percés ; Pommettes : légèrement saillantes ; Menton : de type intermédiaire entre rond et

pointu. Légèrement marqué de profil ; Cou : assez long ; Poitrine : de dimension moyenne, sans signes particuliers. Absence de traces d'interventions chirurgicales ; Abdomen : entre plat et légèrement arrondi. Pas d'interventions chirurgicales au niveau antérieur, excepté peut-être une appendicectomie ; Dos : au milieu, vers le côté gauche, petite tache de couleur brune ; Région génitale : possible implantation de stérilet contraceptif (donnée non certaine) ; Anus : sans particularités, pas de chirurgie ; Membres supérieurs : sans signes particuliers. Doigts des mains longs et d'épaisseur moyenne. Absence de vernis à ongles. Ongles de longueur normale, ni longs, ni rongés. Membres inférieurs : pas de signes particuliers ; Peau : assez claire, pas de vergetures, absence de taches ou de dichromies, pas de grains de beauté notables ; Groupe sanguin : O Rh+ ; Signes particuliers : brûlure du cuir chevelu causée par le coiffeur ; Antécédents cliniques : appendicectomie, état de grossesse possible au moment de la disparition (donnée incertaine). Pas de toxicomanie, pas d'alcool, tabagisme probablement modéré ; Vêtements : portait habituellement des pantalons, des tee-shirts à manches courtes, simples, souvent de couleur noire. Lingerie normale. Chaussures basses, type mocassins ; Objets personnels : pas de collier. Avait un bracelet (métal de couleur jaune avec des pierres colorées). Montre banale.

Plusieurs anneaux aux doigts, à droite comme à gauche. Pas de boucles d'oreilles. »

C'est cela une femme, dans une archive policière. Le document date de septembre 2002, il a été adressé à toutes les polices européennes par le lieutenant Agnès Richard, qui mène l'enquête sous la direction du nouveau juge d'instruction, Richard Rolland. Tous deux mettent dans leurs recherches une énergie que les défaillances de leurs prédécesseurs ont décuplée. Le même signalement a été envoyé aux six cent un médecins inscrits au tableau des experts légistes de France, afin de leur demander de fouiller leurs archives à compter du 27 octobre 1977, à la recherche d'un *« cadavre de sexe féminin non identifié »* qui pourrait correspondre à l'héritière disparue. Quatre cent treize réponses parviennent au juge, toutes négatives. Le dossier s'emplit de descriptions de corps sans tête, de têtes sans corps, de crânes fracassés, de fragments d'os, de morceaux de mâchoires, de ligaments putréfiés repêchés dans un lac, une rivière ou au large de la Méditerranée, trouvés au pied d'une falaise, dispersés dans une forêt, découverts sur un chemin de halage. À feuilleter ces pages, Guillaume a l'impression que le pays est jonché de cadavres de femmes anonymes. Mais les conclusions des experts sont formelles : aucun d'entre eux ne correspond à la fiche de signalement d'Agnès Le Roux.

Le juge Rolland et le lieutenant Richard cherchent encore. On sent parfois, à lire les courriers qu'ils échangent, que les enquêteurs qu'ils sollicitent renâclent. Ils ont d'autres crimes sur les bras et cette affaire vieille d'un quart de siècle ne les intéresse plus. Mais il y a Renée Le Roux, l'irréductible Renée Le Roux qui chausse des lunettes de plus en plus épaisses pour lire les comptes rendus d'enquête et écrit régulièrement au juge pour le supplier de ne pas renoncer. Elle embauche un détective privé pour suivre les pistes qu'elle juge trop vite abandonnées, prête l'oreille à tous les margoulins de la région – magnétiseurs, anciens taulards, demi-sel en pagaille – attirés par la fortune des Le Roux, qui proposent leurs services ou tentent de lui vendre au prix fort le moindre renseignement. Une pluie de corbeaux s'abat aussi sur tous ceux – juge, procureur, famille, journalistes – qui suivent l'affaire. Des écritures en lettres bâton, des hiéroglyphes presque indéchiffrables, de mauvais croquis censés représenter Agnès Le Roux sont archivés, numérotés et versés au dossier d'instruction. Une lettre affirme qu'Agnès Le Roux a été vue en Californie, une autre à Londres, où elle aurait eu une fille portant le prénom de sa mère, Renée. D'autres encore assurent, sur la foi de confidences de voyous reçues en prison, que le corps de la jeune femme a été coulé dans l'un des piliers de l'autoroute qui contourne

Nice et dont l'un des viaducs porte le nom de Sainte-Agnès, ou sous la nouvelle piste de l'aéroport de la ville. Les plus sérieuses – ou celles qui semblent moins farfelues – sont exploitées. Quand une tractopelle vient remuer le remblai de la piscine de la villa de Cantaron, Maurice Agnelet, très détendu, glisse en souriant au procureur qui assiste aux recherches : *« C'était quand même mieux quand vos prédécesseurs venaient assister ici aux fêtes de la Saint-Jean… »*

Le corps d'Agnès. Dans la tête de Guillaume, ces quatre mots n'en font plus qu'un, « lecordagnesse ». Ce n'est plus une femme, c'est une enquête qui noircit des pages de procès-verbaux. Il est imaginé partout, trouvé nulle part. On a fouillé les sous-sols de l'immeuble du cours Saleya où Maurice avait son cabinet, parce qu'un renseignement parvenu au juge y signalait l'existence d'un puits de plusieurs mètres de profondeur dans lequel « lecordagnesse » aurait pu être jeté. On l'a cherché dans les soubassements d'une villa, sur les hauteurs de Nice, où Françoise Lausseure avait sa garçonnière. On a sollicité le directeur du service départemental de l'architecture et du patrimoine pour savoir s'il existait des galeries souterraines rejoignant cette villa au château voisin, dit château de l'Anglais, une invraisemblable bâtisse construite sur un éperon rocheux descendant vers la mer. Des toquades de son bâtisseur, le colonel Robert Smith, ancien ingénieur du génie dans l'armée anglaise qui avait rapporté d'Inde le goût de l'architecture moghole, le dossier dit tout, du corps d'Agnès, il ne sait toujours rien.

Une nouvelle rumeur amène le juge à s'intéresser à un ancien centre d'apprentissage pour handicapés, les Korrigans, dans l'arrière-pays niçois, dont Maurice Agnelet connaissait le propriétaire. En fouillant un coin de la propriété, les enquêteurs de la police scientifique tombent sur des traces de chaux vive, prélèvent des échantillons évoquant des fragments d'os humains que les expertises génétiques démentent quelques semaines plus tard. Faute de corps, on cherche la voiture d'Agnès. Tous les lacs du Mercantour accessibles avec un véhicule tout-terrain sont survolés en hélicoptère dans l'espoir d'y découvrir sa Range Rover. Une tache blanche apparaît dans l'un d'eux, la gendarmerie est dépêchée sur les lieux, fausse alerte, c'est un rocher.

Le 17 juin 2003, le lieutenant de police Agnès Richard adresse un courrier au juge Rolland dans lequel elle présente le bilan de son enquête : *« À ce jour, les témoignages recueillis et les recherches effectuées n'ont pas permis de retrouver le corps d'Agnès Le Roux, ni son véhicule disparu en même temps qu'elle. »*

En refermant le dossier, Guillaume se convainc que son père a raison. *« Tant qu'ils ne retrouvent pas le corps...* », personne ne peut affirmer avec certitude qu'Agnès Le Roux a été assassinée et que Maurice Agnelet est son meurtrier. Guillaume, plus que n'importe qui, a le besoin et le devoir d'en douter.

Ils en sont là, Guillaume et Maurice, quand le père dit au fils :

— *Et puis, si ça se trouve, elle n'est pas morte.*

Maurice avait déjà lancé cette idée, au cours de l'une de leurs séances de répétition du procès. D'ordinaire, Guillaume entrait à son tour dans le jeu.

— *Ben oui, si ça se trouve, elle n'est pas morte.*

Ensemble, ils avaient alors imaginé ce qui avait pu lui arriver. Un voyage à l'étranger, une envie d'ailleurs, un changement de vie. Ils la secouaient dans tous les sens, l'idée, pour voir comment elle retombait, quel effet elle pourrait faire sur les jurés. Mais ce jour-là, Guillaume fatigue, il n'est *« pas dans l'ambiance, pas dans l'atmosphère méthode Coué »*. Il le dit à Maurice.

— *OK, elle n'est pas morte. Mais toi et moi on sait bien.*

— *Je ne vois pas ce que tu veux dire.*

— *Écoute, on est en mode défense tous les deux, on ne va pas perdre notre temps à ça ! À essayer de se dire qu'elle n'est pas morte. Toi et moi, on le sait bien.*

— *Je ne vois vraiment pas ce que tu veux dire...*

— *Mais enfin, tu te souviens, quand on était à Genève…*

— *De quoi parles-tu ?*

— *Genève, l'aéroport, le retour du Panamá, tu sais bien…*

Guillaume préférerait ne pas en dire trop, il ne devrait pas avoir besoin de le faire, son père va forcément comprendre et lui montrer, d'un signe, qu'il a compris. Ça lui suffirait, au fils.

C'était dans les premiers jours de janvier 2000, Guillaume et Thomas avaient décidé d'aller ensemble à Genève accueillir leur père qui rentrait du Panamá. Guillaume conduisait prudemment, l'autoroute était glissante de givre. Lorsqu'ils avaient vu apparaître la silhouette de Maurice dans l'encadrement de la porte de la douane, les deux fils s'étaient précipités vers lui. Il avait les traits tirés par la fatigue du voyage, ses cheveux blond cendré s'étaient éclaircis par endroits, mais il avait gardé sa silhouette élancée. Ils s'étaient dirigés vers le bar de l'aéroport pour prendre un café. Maurice avait à peine attendu qu'ils soient attablés pour leur parler de l'affaire et du rebondissement judiciaire créé par le revirement de Françoise Lausseure. Devant l'inquiétude qu'il lisait sur les visages de ses fils, il avait répété la phrase :

— *Tant qu'ils ne retrouvent pas le corps, je suis tranquille.*

Guillaume avait quinze ans de plus que lorsqu'il avait entendu ces mots la première fois. C'était un homme maintenant et il avait voulu montrer à son père qu'il était solide, qu'il avait mûri, qu'à lui on pouvait tout dire. Alors il avait posé des questions, le fils devenu aîné. La conversation avait roulé sur le temps de décomposition d'un corps dans la nature et sur les risques de le retrouver et de l'identifier après tant d'années. Plus Maurice parlait, plus Guillaume sentait que son père l'attachait à lui et l'entraînait, qu'il ne pourrait plus faire marche arrière, ni même faire semblant. Mais il s'était laissé faire, il voulait tellement lui plaire à ce père qui lui revenait.

Alors qu'ils poursuivaient leur discussion, Thomas s'était levé brusquement et s'était dirigé vers les toilettes. Guillaume s'était penché vers son père.

— *Attention. Je ne sais pas si Thomas est au courant comme je le suis. Mais j'espère que tu te rends compte que tu es en train d'avouer le meurtre d'Agnès devant lui.*

Maurice Agnelet avait regardé son fils en souriant.

— *Thomas est intelligent, il a déjà compris.*

Guillaume sent un nœud se former au creux de son ventre. Comment Maurice peut-il avoir oublié la conversation de Genève ? Ce n'est pas possible, personne ne peut oublier des phrases pareilles. En tout cas, pas lui, pas Maurice. Ou alors, c'est qu'il ne veut pas s'en souvenir. Guillaume aimerait bien lui aussi, mais il n'y arrive pas.

Elles tournent dans sa tête, ces phrases, celles de Paris, celles de Genève – *« Tant qu'ils ne retrouvent pas le corps, je suis tranquille. Et moi, le corps, je sais où il est »* –, et il se dit que cette fois, il ne doit pas céder. Il les répète à son père.

— *Mais tu hallucines !*

Guillaume insiste :

— *Tu te fous de ma gueule, Maurice ! Je veux bien te défendre, mais toi, te fous pas de ma gueule !*

Maurice Agnelet le coupe.

— *Tu débloques. Fais-toi soigner.*

Et si c'était vrai, qu'il débloquait ? Si seulement tout cela pouvait ne pas avoir existé !

Maurice Agnelet s'est calé au fond du fauteuil. Ses traits se sont durcis d'un coup. Guillaume ne lui a jamais vu un regard pareil.

— *Est-ce que tu me menaces ?*

— *Maurice, tu me dis ça, à moi !*

Son sang s'est glacé. Il a toujours sur lui les yeux de son père qui le fixent.

— *Non, non, je te menace pas. Et puis d'ailleurs, on va arrêter la discussion ici.*

Guillaume glisse le long du vieil évier en émail, longe le buffet en noyer puis le réfrigérateur américain, sans quitter son père du regard.

Surtout, ne pas lui tourner le dos. Une pensée le transperce. *« Si Maurice me voit comme un danger, alors je suis en danger moi-même. »* Il ressent quelque chose de terrible, un sentiment qu'il rechigne à nommer, il a plus de 30 ans, il est le bon fils, il ne peut pas avoir peur de son père.

« Dans cet affrontement qu'est le procès, défense et accusation se comportent comme deux monteurs de cinéma avec les rushes d'un film. Chacun va faire un montage différent, aboutissant à deux versions. Laquelle est la vraie ? C'est cette incertitude, le côté tremblé de la réalité reflétée par le procès qui donne à celui-ci son caractère unique et fascinant. »

Jacques Vergès, *Dictionnaire amoureux de la justice*

À quoi ça ressemble l'ouverture du procès d'une fascinante énigme criminelle ? À un fond d'air particulier, d'excitation et d'empressement, qui donne au palais de justice de Nice des allures d'opéra un soir de première. Sur les marches, un public d'hommes et de femmes, surtout de femmes d'ailleurs, plutôt âgées, le journal sous le bras ou dépassant du sac à main, livrent bataille pour entrer. L'affaire fait les gros titres de *Nice-Matin* et, avec elle, c'est tout un pan de l'histoire mouvementée de la ville qui se réveille. Le procureur de la République est descendu de son bureau et se tient droit, bras croisés, au fond de la salle d'audience qui se remplit. Éric de Montgolfier ne se lasse pas de respirer cet air-là, il n'est pas le seul, nombreux sont les avocats du barreau de Nice qui se pressent sur les bancs, en robe ou en civil, certains ont peut-être connu Maurice Agnelet du temps où il était des leurs.

Le voilà donc, ce face-à-face tant attendu entre une mère de 85 ans, Renée Le Roux, et celui qui est accusé du meurtre de sa fille disparue. Vingt-neuf ans ont passé, quelques mètres les séparent. Quatre semaines de débats les verront se confronter, se salir, se blesser. Pour l'heure, ce sont encore des masques qui s'avancent. Elle, en statue du Commandeur, droite, tranchée, rugueuse d'apparence avec son épaisse chevelure blanche et sa haute silhouette enveloppée de noir. Lui, en innocent proclamé, souple, comme estompé, fondu dans le camaïeu de beige d'un pantalon en velours, d'un pull en laine fine et d'une veste en tweed. Leur première bataille est muette. Elle le regarde en procureur, il ne baisse pas les yeux, se contente de les laisser errer sur elle, sans la voir.

Dans le prétoire aussi, on se jauge, on se guette, on se rode. Maurice Agnelet a deux avocats, François Saint-Pierre et Jean-Pierre Versini-Campinchi. Ce dernier a l'âge de son client, porte nœud papillon comme d'autres moustache, aime le chic qui se voit et le cher qui se soupèse. Il est aussi familier et gouailleur que son confrère Saint-Pierre est austère. Entre les deux défenseurs, le partage des rôles est clair : à Saint-Pierre le droit, à son aîné le tors.

En face, il y a Georges Kiejman. Voilà longtemps que l'ancien ministre n'est plus apparu dans un procès d'assises. Il a d'ailleurs, paraît-il, hésité un peu lorsque Renée Le Roux lui a demandé d'être son avocat, mais le goût des belles affaires, de leur atmosphère enivrante et de ces délicieux coups de fouet qu'elles donnent à l'orgueil l'a convaincu d'accepter. Il se sait observé par tous ceux – juges, confrères avocats, journalistes – qui savourent d'avance son art inégalé de la cruauté oratoire. Il n'a pas besoin de se forcer pour en user, il déteste déjà Maurice Agnelet et le montre en prenant les jurés à témoin :

— *Je ne voudrais pas être blessant pour l'accusé. Mais il est important de signaler que l'homme dont nous parlons dans cette affaire vieille de trente ans, c'est le séducteur de 38 ans, et non pas cet échappé d'une maison de retraite !*

La défense proteste, Me Kiejman gronde encore, le président de la cour d'assises intervient, il a une petite moue satisfaite d'arbitre. Chacun est en place et pressent que ce procès pourrait bien figurer, plus tard, dans la poignée de ceux que l'on ne se lassera pas de raconter. Les jurés aussi, qui tous prennent scrupuleusement des notes pendant que le président lit l'arrêt qui renvoie Maurice Agnelet devant la cour d'assises.

Cette lecture rituelle achevée, il demande à l'accusé de se lever et de s'approcher de la barre :

— *Monsieur Agnelet, reconnaissez-vous tout ou partie des faits tels qu'ils ont été relatés ?*

— *Monsieur le président, je suis innocent. Cela fait trente ans que je suis accusé d'un crime que je n'ai pas commis. Depuis trente ans, je clame que je ne sais pas ce qu'est devenue Agnès Le Roux.*

Le premier sanglot dans la voix est arrivé juste après « *je ne sais pas* », le deuxième, plus marqué, s'est posé dans le micro quand Maurice Agnelet a prononcé le prénom et le nom de la disparue. En sortant de la salle d'audience, il a répété ces mots devant les caméras. Les sanglots aussi.

Guillaume et Thomas observent de loin la haie compacte de caméras et d'appareils photo à laquelle fait face leur père. Pour être à ses côtés pendant ces quatre semaines, Guillaume a éclusé tous ses jours de congé. Il n'a rien dit à son frère sur ce qui s'est passé dans la cuisine de la villa de Chambéry et sur les phrases de Maurice qui le font trembler d'effroi dans la nuit. Mais quand, à la veille de l'ouverture du procès, Thomas lui a demandé :

— *À ton avis, ça passe ou ça casse ?*

Guillaume a répondu de son air buté des mauvais jours :

— *Écoute, je vais faire le boulot, mais après, qu'il soit condamné ou qu'il soit acquitté, je veux qu'il disparaisse de ma vie.*

La cour d'assises est un lieu d'apartheid. Il y a le côté blanc, celui des victimes, à tout le moins celles et ceux qui demandent à la justice de les reconnaître comme telles, et le côté noir, celui de l'accusé. Par cercles concentriques, cette séparation s'étend aux familles, aux amis des deux parties qui ne se mélangent pas sur les bancs du public. La travée leur sert d'infranchissable frontière. Ce qui est vrai dedans l'est aussi dehors. Il suffit d'observer la curieuse parade qui s'exécute devant le distributeur de boissons ou de friandises vers lequel tout le monde se dirige lors des suspensions d'audience. Une hiérarchie tacite s'y instaure. Les familles et les amis des victimes passent devant, ceux des accusés attendent leur tour.

Comment Guillaume Agnelet n'aurait-il pas ressenti l'étanchéité de cette frontière ? Tout lui rappelle le côté auquel il appartient. Les regards posés sur lui sont curieux, au mieux compatissants. La voix du président n'est pas la même lorsqu'elle s'adresse à la mère, aux sœurs et au frère d'Agnès Le Roux que lorsqu'elle les interroge, eux, les fils de Maurice Agnelet. Insensiblement, le crime reproché à l'accusé étend sur eux son ombre.

La violence de la cour d'assises a fait le reste. L'homme sur lequel la justice braque ses projecteurs est son père envers et contre tout. Jour après jour, elle trace de lui un portrait à l'encre noire. Les amis d'hier – Guillaume reconnaît certains visages qu'il voyait, enfant, sur la terrasse de Cantaron – défilent pour dire tout le mal qu'ils pensent de Maurice Agnelet. Alors, quand le président de la cour d'assises l'a appelé à la barre pour témoigner de la personnalité de son père, Guillaume s'est senti plus que jamais déterminé à le défendre.

C'était un lundi soir, il avait attendu toute la journée. Ses mots aussi qui, enfin libérés, se bousculaient en désordre pour tenter de faire barrage aux dépositions accablantes qui avaient précédé la sienne.

— *Mon père, je sais qu'il est innocent. Il a un sens moral, ce n'est pas un monstre comme on l'a décrit ici. Je suis prêt à soutenir le regard de quiconque pour dire cela.*

Thomas avait pris la parole le lendemain matin. De Maurice Agnelet, il avait la même finesse de traits, mais il y avait dans son visage une fixité qui trahissait sa fragilité, comme une porcelaine recollée qu'une pichenette aurait suffi à briser.

— *Je souhaite à tout le monde d'avoir un père comme Maurice. C'est une bibliothèque vivante, il a réfléchi sur tout. Il a une intelligence pointue, une liberté d'esprit qui peut déranger les bien-pensants. On le dit séducteur, manipulateur ? Pour moi, c'est surtout quelqu'un qui a du charisme.*

Il avait ajouté, entrouvrant un instant la porte sur la tragédie qui se jouait aussi de ce côté-là de la barre : *« D'aussi loin que je me souvienne, il y a toujours eu un juge d'instruction dans ma vie. »*

Les jours suivants, les deux frères avaient repris leur place, dans un coin à part sur les bancs du public, avec le regard dur de ceux qui ont dû tôt se protéger de l'hostilité du monde. Guillaume le darde sur l'avocat de la famille Le Roux, Georges Kiejman, et sur celui qui soutient l'accusation, l'avocat général Pierre Cortès. Ce magistrat affable, solide, gros travailleur, est incontestablement l'un des plus fins connaisseurs de l'affaire. Sa conviction de la culpabilité de Maurice Agnelet est absolue. La faire partager avec la cour et les jurés semble devenu une affaire personnelle. Mais dans ce dossier, l'accusation n'a pas LA preuve, le cadavre. Comme ne cesse de le répéter l'avocat François Saint-Pierre, elle ne dispose pas du *« quand, comment, où ? »* Agnès Le Roux a été tuée. Elle échafaude des hypothèses, elle cherche dans les méandres de la personnalité de Maurice Agnelet des preuves de sa culpabilité. Pierre Cortès parle de cette affaire au présent de l'indicatif. Il est tour à tour dans la peau de l'accusé, dans celle d'Agnès Le Roux et de chaque témoin du dossier. Il est dans l'appartement, au restaurant, dans les plis des draps, dans la voiture, il est la voix de celui qui appelle, la main de celle qui écrit, le cerveau de celui qui pense. D'une montagne de papiers, d'éléments épars que la mémoire a tordus, que la vie a bosselés, que l'instruction a bâclés, que la langue policière et judiciaire a tronqués, il croit pouvoir faire renaître la vie, comme si les odeurs, les saveurs, les haines, les états d'âme pouvaient s'exhaler, intacts, de la sécheresse des procès-verbaux. Plus Guillaume l'écoute, plus il se sent conforté dans l'idée qu'on peut soutenir le doute sans se déshonorer. Si la justice n'a pas de certitudes absolues, pourquoi en aurait-il, lui, Guillaume Agnelet ? Pourquoi ne s'accorderait-il pas le droit d'écraser ses souvenirs ?

La loi, qui connaît mieux la vie qu'on ne le dit parfois, a prévu des cas comme ça. Elle dit que lorsqu'on est le père, la mère, le frère, la sœur, l'enfant ou le conjoint de l'auteur d'un crime ou d'un délit, on ne peut pas être puni pour ne pas l'avoir dénoncé. Que se taire n'est pas un délit pénal mais un conflit moral qu'il appartient à chacun de résoudre comme il peut. Elle concède aussi à la famille le droit de mentir, en la dispensant de prêter serment à la barre des témoins.

Guillaume Agnelet connaissait le montage de la défense, il savait sous quel éclairage, par quels fils il tenait et comment un brusque mouvement de caméra de l'accusation pouvait ruiner le plan qui avait été conçu. Il suivait les débats comme une succession d'obstacles à franchir – les annotations dans les recueils de la Pléiade, les trous dans l'emploi du temps de Maurice Agnelet pendant le week-end de la Toussaint 1977, les documents compromettants trouvés à son cabinet d'avocats lors de la perquisition, ses mensonges multiples, l'usage qu'il avait fait de l'argent d'Agnès – et mesurait, mieux que quiconque, ce qui sépare la vérité de sa lointaine parente, la « vérité judiciaire ».

Celle-ci, faute de l'autre, lui convenait. À Nice, bourré de tranquillisants et de somnifères, il s'est installé dans un rôle de « comptable », remplissant mentalement deux colonnes. Colonne de gauche, ça passe, colonne de droite, ça casse. C'était la position la moins inconfortable qu'il avait trouvée pour faire taire les émotions qui, de temps à autre, menaçaient de le submerger.

Certaines vagues avaient été plus fortes que d'autres. Comme ce jour où le psychiatre chargé de l'expertise de son père a été entendu à la barre. Quelques phrases de sa déposition s'étaient fichées comme des pointes vénéneuses dans sa mémoire. « *Pour Maurice Agnelet*, expliquait le docteur Jean-Claude Chanseau, *l'autre n'existe pas. Il est englouti. Dans son lien à autrui, Maurice Agnelet est indifférent à celui qui est au bout du lien. Ce qu'il aime, c'est le lien et il n'y a pas de rupture possible de ce lien. Toute personne qui tente de lui échapper doit être réduite.* » Elles réveillaient chez Guillaume la brûlure de la scène de la cuisine à Chambéry. C'était la première fois qu'il entendait exprimer par un autre ce qu'il ressentait au tréfonds de son être.

Surtout, il y a eu ce 13 décembre quand, dans la salle d'audience, s'est élevée la voix d'Agnès Le Roux. Guillaume Agnelet ne s'était pas préparé à ce moment-là. Il connaissait ses mots, ils avaient été retranscrits dans les procès-verbaux, mais c'était tout autre chose de les entendre prononcer. L'enregistrement date du 10 ou du 11 octobre 1977. Quatre jours plus tôt, Agnès Le Roux a tenté de se suicider en avalant des barbituriques. Le téléphone sonne dans le cabinet de Maurice Agnelet. Il appuie sur le bouton de son magnétophone pour enregistrer la conversation. Car il enregistre tout, l'avocat Maurice Agnelet, le vénérable de sa loge maçonnique, le président départemental de la Ligue des droits de l'homme, et il archive.

On entend d'abord sa voix.

— *Allô ?*

— *Oui.*

— *On parle.*

— *J'imagine, oui* (silence). *Mais ça fait rien, Maurice, j'ai...* (silence) *ça sert à rien de dire quoi que ce soit* (silence).

On perçoit un raclement de gorge. Agnès attend, rien ne vient, elle reprend la parole.

— *Je ne sais pas ce que tu fais, je ne sais pas ce que, ce qui est vrai dans ce que tu me dis, mais* (silence) *disons que j'ai une impression désagréable* (silence), *je ne dois pas être, euh, aussi proche de toi que ça.*

— *Pourquoi ?*

— *Parce que, Maurice* (long sanglot). *Mais en même temps, c'est pas la peine que je te parle. Pas la peine que je te demande quoi que ce soit. Il faut que tu sois comme tu as envie d'être.*

Pendant plus d'une minute, on n'entend que la respiration saccadée de chagrin d'Agnès Le Roux. C'est long, une minute, dans une cour d'assises.

— *Il faut que tu y ailles, Maurice...*

— *Oui, je sais.*

— *Vas-y.*

— *J'y vais. Je te rappelle ce soir.*

— *Oui, si tu peux.*

— *Bonsoir.*

— *Oui.*

Nouvel enregistrement. Il date du lendemain. Maurice Agnelet n'a pas appelé, Agnès Le Roux lui demande ce qui s'est passé. Sa voix est celle, suppliante, d'une enfant qui aurait peur de se faire gronder. Celle qui lui répond est enjouée, légère.

— *Euh, rien, euh, quand j'ai fini de donner, quand j'ai fini de donner à manger aux, aux chiens, les bambins, les coucher, tout ça, euh, eh ben, je me suis endormi.*

— *Ah bon.*

Il parle, parle, Maurice Agnelet, de son rendez-vous à la permanence de la chambre des métiers, de son déjeuner, « *comme chaque lundi* », avec l'un de ses fils, de son après-midi très chargé au cabinet, puis de l'assemblée de la Ligue qu'il ne peut absolument pas manquer le soir. Et l'on entend Agnès Le Roux attendre. Attendre des mots qui ne viennent pas, l'annonce d'une visite qui ne se fait pas. Elle s'accroche, soumise, amoureuse, prudente, inquiète à l'idée de trop peser. Elle évoque les vacances de la Toussaint, leur projet de partir ensemble. Compte les jours, les recompte. Il se tait, elle s'inquiète.

— *Tu crois que ça ira ?*

— *On verra.*

Il s'excuse, il doit raccrocher. Elle lui dit que, bien sûr, elle comprend.

Et puis il y a eu cet autre enregistrement diffusé dans la salle d'audience. Il date du 14 mars 1978, cela fait quatre mois qu'Agnès Le Roux a disparu. Son frère Jean-Charles est fou d'inquiétude. Dernier et unique garçon de la fratrie, il a toujours eu une relation privilégiée avec sa sœur et ne comprend pas qu'elle puisse le laisser sans nouvelles. Dans les premières semaines de la disparition d'Agnès, il est allé voir plusieurs fois Maurice Agnelet. Aux questions qu'il lui posait, l'amant restait évasif mais laissait entendre qu'il était en contact avec elle, que celle-ci ne souhaitait pas revoir sa famille et qu'elle reviendrait à Nice lorsqu'elle se sentirait mieux. De chaque rendez-vous, Jean-Charles repartait un peu rassuré et tentait à son tour d'apaiser sa mère. Bien plus tard, la culpabilité le rongerait à l'idée qu'il avait ainsi, malgré lui, contribué à retarder les recherches. Lors d'une de ces rencontres, Maurice avait même accepté de prendre une lettre pour Agnès que Jean-Charles lui avait apportée. La lettre était restée sans réponse, Jean-Charles avait décroché le téléphone pour appeler Maurice Agnelet. À la détresse du frère répond la voix glacée de l'amant. Il salit Renée Le Roux, la mère qui s'agite en tous sens pour tenter de retrouver sa fille.

— *Je sais que ta mère, euh, bon, s'affole mais je ne crois pas que ce soit un affolement bien, bien pratique, tu comprends ? Ça sert à rien, je crois que ça sert à rien de, euh, d'envoyer des, des articles dans les journaux en disant, euh, que c'est moi qui la séquestre !*

— *Oui, mais d'un autre côté, c'est un peu normal qu'on s'affole depuis le temps…*

— *Il y a des amis qui font l'enquête, hein, et que naturellement je connais, et qui commencent à se demander à qui profite ce silence. Bon, je ne dis pas que Renée a fait ça, hein. C'est pas moi qui le pense. Mais souvent, on n'a pas besoin d'être grand clerc, ni d'être un grand spécialiste du polar pour s'apercevoir que parfois celui qui mène l'enquête est en fait l'auteur de, l'auteur des choses, quoi ! Tu comprends ?*

À l'autre bout du fil, Jean-Charles Le Roux n'a pas l'air de bien comprendre justement. Maurice Agnelet insiste. Il évoque le Palais de la Méditerranée et la mauvaise gestion de Renée Le Roux. Jean-Charles Le Roux le coupe. Ce qui lui importe aujourd'hui, ce n'est pas la gestion du casino, c'est la disparition de sa sœur. L'amant ironise.

— *Ta brave petite sœur n'est pas en difficulté de passer ses soirées, hein ! Ça, j'en sais quelque chose !*
Il évoque des *« vieux de Monaco »* qui, selon lui, seraient tout prêts à s'occuper d'une *« jeune femme belle et jolie. J'allais dire pour employer un terme qui n'est pas beau mais qui veut bien dire ce qu'il veut dire, qu'elle ne serait pas en difficulté pour se faire entretenir, quoi ! »*.

— *Tu ne veux pas me dire qui ?* demande Jean-Charles.

Dans le combiné éclate le fou rire de Maurice Agnelet.

— *Non !*

Quand Guillaume est rentré le soir avec Thomas et Maurice à la maison de Cantaron – Anne était opportunément partie quelques semaines plus tôt au Maroc pour ne pas être jointe par la convocation de la cour –, il a eu du mal à affronter la présence de son père. Il s'est isolé un long moment sur la terrasse où Thomas est venu le rejoindre. Guillaume a explosé :

— *Je n'en peux plus. Si ça continue comme ça, je vais tout balancer !*

Thomas a mis son index sur sa bouche en désignant du regard sa compagne à portée de voix des deux frères. Se taire, Guillaume devait se taire. On n'a pas le droit de révéler un secret de famille.

Quelques jours plus tard, la cour et les jurés de Nice ont acquitté Maurice Agnelet.

Guillaume a fait ses valises et il est rentré à Chambéry. Son père est arrivé peu après. Le soulagement de l'acquittement prononcé à Nice était déjà voilé par la décision du parquet général de faire appel de ce verdict. Tout était donc à recommencer. On connaissait la date du futur procès, il se tiendrait à Aix-en-Provence à l'automne 2007. Dix longs mois à attendre avec cette échéance au-dessus de la tête. À se préparer pour un nouveau combat, à se remettre en « *mode défense* » comme dit Guillaume.

En ces premiers jours de janvier, il va mal. Toute la tension accumulée pendant les quatre semaines d'audience, les sentiments contraires qui l'ont traversé, les images qu'il ne parvient pas à chasser, menacent à chaque instant de le briser. Quand il franchit le portail de la maison après sa journée de travail, il sait que de la fenêtre derrière laquelle il est assis, au rez-de-chaussée, son père le voit. Il évite de le croiser, la cohabitation lui pèse. La présence de Maurice, le bruit de ses pas, le son de sa télévision, tout lui est insupportable.

Au lendemain d'une nuit sans sommeil, Guillaume vient frapper à sa porte.

— *Il faut que je te parle.*

Maurice Agnelet se dirige vers la cuisine, Guillaume le suit. Ils sont à deux mètres l'un de l'autre, assis chacun sur une chaise.

— *Je commence à avoir des idées suicidaires. J'ai besoin de tranquillité. Laisse-moi un peu de temps, barre-toi de la maison pendant quinze jours.*

Un silence indifférent lui répond. Il insiste.

— *Maurice, tu comprends ?*

— *Pas question que je m'en aille. Ici, j'ai ma ligne Internet.*

— *Maurice !*

— *J'en ai rien à foutre. Ici, j'ai Internet.*

Guillaume s'élance, abat son poing sur le visage de son père et revient s'ébouler sur sa chaise. Il souffle si fort, si vite, qu'à chaque inspiration son corps se soulève. Maurice a quitté la pièce, Guillaume l'entend marcher dans son bureau, ouvrir un placard, le refermer. Au bout de quelques minutes, il réapparaît dans l'encadrement de la porte.

D'une voix lointaine, coupante comme l'acier, Maurice lance à son fils :

— *Ça y est ? T'es calmé ?*

Guillaume se relève et frappe encore. Il cogne de toutes ses forces, il voudrait le démolir, ce père, avec ses sarcasmes, ses mensonges, sa noirceur et ses confidences empoisonnées. Il entend la voix de Françoise confiant au procès de Nice : *« Toutes les femmes qui tournaient autour de Maurice Agnelet, en tout cas nous, les trois principales, Agnès, Anne et moi, avons fait des tentatives de suicide. »*

Le lendemain, sa décision est prise. S'il veut vivre, il doit partir. Le jour de son déménagement, à la fin du mois de janvier 2007, Maurice Agnelet frappe à la porte de l'appartement de Guillaume. Tout son visage sourit, sa voix est incroyablement douce, il écarte les bras comme pour les offrir à son fils.

— *Veux-tu que je t'aide à porter tes cartons ?*

Il fait doux en cet après-midi du 11 octobre 2007, à Aix. Cours Mirabeau, les terrasses des cafés ne désemplissent pas. Renée Le Roux, ses deux filles Catherine et Patricia, son fils Jean-Charles et deux de ses petits-enfants sont attablés à l'une d'entre elles en compagnie de leur avocat, Me Hervé Temime. Georges Kiejman a jeté le gant pour l'appel, à la fois par lassitude, par orgueil et par élégance – *« Je déteste trop Maurice Agnelet, cela pourrait nuire à la défense de vos intérêts »*, a-t-il dit à la famille Le Roux –, avant de leur suggérer le nom d'Hervé Temime, *« le meilleur avocat après moi »*. Devant leurs verres de limonade, Renée Le Roux et les siens ressassent les moments de cette audience, si différente, plus apaisée sans doute que la première. Les avocats de Maurice Agnelet ont un peu baissé la garde pendant les débats. Ils sont confiants. Guillaume l'est aussi. Comme à Nice, il a témoigné en faveur de son père et il a répété sa conviction de son innocence. Mais cette fois, il n'a pas assisté à tout le procès. Il n'est revenu que pour entendre les plaidoiries. Quand François Saint-Pierre a terminé la sienne, Guillaume l'a embrassé. Maintenant, à une autre terrasse de la ville, Guillaume et Thomas patientent eux aussi, seuls. Comme l'exige la procédure, Maurice Agnelet, qui comparaît libre, a été conduit dans une pièce du palais de justice dont il ne sera autorisé à sortir que pour entendre son jugement.

Deux heures ont passé depuis que le président Jean-Pierre Deschamps a donné lecture de l'article 353 du code de procédure pénale, dont le prononcé précède le moment où la cour se retire pour délibérer. C'est le plus beau texte de la justice pénale. Certains présidents le récitent sans baisser les yeux sur leur code. On reconnaît les plus grands d'entre eux à la façon qu'ils ont d'en détacher lentement chaque phrase comme s'ils voulaient les faire pénétrer dans la conscience des jurés. On se prend à haïr ceux qui le marmonnent ou avalent ses mots.

« La loi ne demande pas compte aux juges des moyens par lesquels ils se sont convaincus, elle ne leur prescrit pas de règles desquelles ils doivent faire particulièrement dépendre la plénitude et la suffisance d'une preuve ; elle leur prescrit de s'interroger eux-mêmes dans le silence et le recueillement et de chercher, dans la sincérité de leur conscience, quelle

impression ont faite, sur leur raison, les preuves rapportées contre l'accusé, et les moyens de sa défense. La loi ne leur fait que cette seule question, qui renferme toute la mesure de leurs devoirs : "Avez-vous une intime conviction ?" »

Alors commence l'attente. Ces heures ne ressemblent à aucune autre. On n'ose pas trop s'éloigner du palais, on guette le moindre frémissement des agents de police, on interprète chaque signe, on se surprend à céder à toutes les superstitions pour remplir ce temps de plomb. Les histoires que content les avocats dans les dîners d'après-procès sont pleines de ces attentes-là.

Comme eux, on se repasse mentalement le visage de chacun des douze jurés. Cette jeune femme brune qui semblait si grave quand elle a quitté la salle derrière le président. Cet homme qui prenait des notes pendant le réquisitoire, cet autre qui suivait avec attention la plaidoirie de François Saint-Pierre, celui-là encore qui ne s'est jamais départi de son air sévère. Ce sont eux désormais qui tiennent entre leurs mains le destin de Maurice Agnelet. On compte et recompte. En appel, il faut une majorité d'au moins dix voix sur quinze pour prononcer une condamnation. Si six d'entre eux votent « non » à la question sur sa culpabilité, Maurice Agnelet est acquitté. On les imagine autour de la table. Ont-ils pris le temps d'un café avant de s'asseoir ? Ou ont-ils eu envie de débattre tout de suite ? À Nice, il a fallu six heures à la cour et aux jurés pour prononcer l'acquittement de Maurice Agnelet. Combien de temps va durer ce délibéré ? Le président Deschamps figure parmi les plus expérimentés des présidents d'assises. Cette affaire, l'une des dernières de sa carrière de magistrat, l'a passionné, il a pris un plaisir non dissimulé à diriger les débats. Un jour qu'il interrogeait Maurice Agnelet, il n'avait pas celé un étonnement presque admiratif face à la vie sentimentale mouvementée de l'accusé.

— *Tout de même, ces trois femmes qui, au même moment, sont toutes très amoureuses de vous et qui vous font parfois du chantage, cela devait être pesant, non ?*

— *Non, c'était juste techniquement un peu compliqué. C'est l'intendance qui était pesante…*

Maintenant, le président Deschamps a dû se défaire de sa robe rouge bordée d'hermine avant de rejoindre les jurés, comme les deux assesseurs magistrats professionnels ont retiré la leur, qui est noire. On rêverait de se glisser dans un coin de la pièce, de les écouter discuter, la grande gueule et le timide, celui qui doute et l'autre qui se tait, celui qui n'ose pas et celui qui a peur d'oser.

Le téléphone de Temime a sonné. Celui de Saint-Pierre aussi. C'était l'huissière, qui les prévenait de la reprise de l'audience. Si vite ? Après seulement deux heures de délibéré ? L'angoisse a dévoré Hervé Temime. L'espoir a gagné François Saint-Pierre. L'un et l'autre se sont frayé un chemin dans la salle d'audience déjà comble. La mère, les sœurs et le frère d'Agnès Le Roux se serrent au premier rang. Leurs mains se saisissent d'instinct au moment où la sonnerie annonce l'entrée de la cour.

Guillaume est arrivé trop tard, il est resté sur le seuil. Il n'a pas entendu le président Deschamps annoncer que la cour d'assises déclarait Maurice Agnelet coupable et prononçait contre lui une peine de vingt ans de réclusion criminelle. Il a juste eu le temps d'embrasser son père avant qu'il ne disparaisse entre deux gendarmes.

Dans le carnet de notes qu'il a tenu au fil de l'audience, l'un des jurés a consigné le dépouillement du vote sur la première question qui leur était soumise et qui décidait de toutes les autres : *« Maurice Agnelet est-il coupable d'avoir, entre le 26 octobre et le 2 novembre 1977, volontairement donné la mort à Agnès Le Roux, avec la circonstance que l'accusé avait formé préalablement le dessein de commettre ce meurtre, ce qui constitue le crime d'assassinat ? »*

À chaque réponse affirmative, il a tracé un bâtonnet. Il y en a quinze. Maurice Agnelet a été condamné à l'unanimité.

Il enrage, François Saint-Pierre. La condamnation prononcée par la cour d'appel d'Aix-en-Provence est un échec pour lui, l'avocat de la défense. Mais surtout, il en est convaincu, un échec pour la justice. Il se dit qu'une fois de plus, cette catin d'intime conviction a triomphé de la raison qui commandait l'acquittement de Maurice Agnelet. Il aura sa revanche, elle prendra le temps qu'il faudra, mais il ne renoncera pas.

L'avocat a déposé un recours sur le bureau de la Cour européenne des droits de l'homme. Maurice Agnelet, soutient-il, n'a pas bénéficié d'un procès équitable, puisqu'en l'absence de motivation de l'arrêt qui le condamne, il ignore sur quelles preuves la cour et les jurés ont fondé leur conviction de sa culpabilité. L'attention polie ou la lasse indifférence qu'il rencontre chez ceux qui ont suivi l'affaire lorsqu'il évoque son nouveau combat ne le gêne pas, au contraire. Elles fouettent son orgueil et renforcent chez lui le sentiment aigu qu'il a d'avoir raison contre tous les autres. Il croit au droit et surtout, il croit en lui, François Saint-Pierre.

En attendant que la Cour se penche sur sa requête, il se démène pour son exubérant client. Depuis qu'il est doté d'un ordinateur dans sa cellule – il a quitté la prison de Luynes, dans les Bouches-du-Rhône, pour celle de Mauzac, en Haute-Garonne –, Maurice Agnelet inonde son avocat et ses fils de courriers. Il leur demande d'engager au plus vite les démarches pour obtenir la remise en liberté conditionnelle à laquelle son âge, plus de 70 ans, pourrait lui donner droit. Chaque fois qu'il va le voir au parloir, Thomas, le doux Thomas, assiste avec gêne aux monologues décousus, enfiévrés de son père. Il ne sait s'il feint ou s'il sombre réellement dans la folie. Quand il rend compte de ses visites à Guillaume, Thomas lui dit aussi que Maurice lui en veut de ne pas respecter sa promesse de venir le voir.

C'est vrai que Guillaume avait promis. Au début, il pensait sincèrement qu'il irait et puis il a renoncé. Il n'en a ni l'envie ni la force. Il ne lui écrit pas davantage. Que lui dirait-il ? Qu'il traverse une période sombre de sa vie, qu'il se cherche et ne se trouve pas ? À quoi bon ?

C'est de sa mère qu'est venue la première alerte. Le jour de son anniversaire, elle lui a adressé un court message : *« Conseil de famille à Cantaron. »* Il est descendu à Nice, où il a retrouvé Thomas qui ne savait pas comment lui annoncer les nouvelles résolutions de Maurice. C'était à propos de l'héritage qu'il avait dissimulé au Panamá dans une société fictive. À son retour en France, craignant la surveillance dont il était l'objet, Maurice avait chargé Guillaume de s'en occuper. Le fils aîné, le bon soldat, avait accepté, il avait même été fier à l'époque de cette marque de confiance. Mais depuis que son aîné a pris ses distances, Maurice se méfie. Guillaume, exige-t-il, ne doit plus avoir accès à la gestion de ce compte.

Thomas a proposé à son frère un compromis : *« Tu ne sors pas de la société, mais pour toucher à l'argent, il faudra à chaque fois nos deux signatures. »* Anne a approuvé, d'ailleurs elle approuve toujours ce que dit Thomas, a pensé Guillaume. *« Vous me mettez les menottes, c'est ça ? »* leur a-t-il lancé. Ils n'ont pas relevé. Guillaume a signé. Peu de temps après, Thomas est reparti en Nouvelle-Calédonie. Là-bas, à 20 000 kilomètres de la métropole, on ne connaît ni le nom d'Agnès Le Roux, ni celui d'Agnelet, espère-t-il.

Guillaume est revenu s'installer dans la maison de Chambéry. Il est resté en relation avec François Saint-Pierre. Il éprouve du respect pour lui et même de l'affection. Ils ont vécu tant de choses ensemble que Guillaume se sent en confiance. Il se dit qu'il pourrait peut-être lui parler, un jour, de tout ce qui s'est passé entre Maurice et lui. Il lui expliquerait pourquoi il ne répond pas aux lettres de son père qui lui demande maintenant de lui fournir un faux bail de location pour l'appartement qu'il occupe afin de justifier d'un revenu officiel et d'une adresse qui lui ouvriraient les portes de la liberté conditionnelle. L'avocat le comprendrait sûrement s'il savait.

En ce mois d'août 2010, Guillaume Agnelet roule vers Lyon. François Saint-Pierre l'a appelé de la part de Maurice pour cette affaire de bail, Guillaume lui a répondu qu'il préférerait en parler de vive voix, ils ont convenu d'un rendez-vous. En chemin, il ne cesse de se demander comment il va s'y prendre pour lui dire qu'il ne veut pas revoir son père à Chambéry, qu'il ne supporte pas l'idée de respirer le même air que lui et encore moins de permettre à Maurice d'entrer en contact avec sa fille. Il parle à voix haute dans la voiture, imagine les questions de François Saint-Pierre, réfléchit aux réponses qu'il pourrait lui faire. Mais quand il franchit la porte du cabinet, Guillaume sent sa gorge se nouer. Il s'avance vers l'avocat, saisit la main qu'il lui tend, pas un son ne peut sortir de sa bouche. François Saint-Pierre perçoit son trouble. Croyant le mettre à l'aise, il commence par lui parler d'un livre à venir, dans lequel un ancien truand niçois affirme avoir reçu des confidences d'un autre, mort depuis, selon lequel Agnès Le Roux aurait été tuée par la mafia. Il dit à Guillaume que ce nouveau témoignage va lui permettre de déposer une demande en révision du procès. Il est déjà en train de la rédiger, cette nouvelle bataille judiciaire l'enthousiasme. Puis François Saint-Pierre évoque le fameux bail, dont Maurice a besoin.

— *Est-ce qu'il a changé ?* l'interroge Guillaume.

Il aurait voulu le formuler autrement, lui demander si Maurice reconnaît maintenant sa culpabilité. Guillaume a beaucoup pensé à cela, il se dit que tout serait différent alors, qu'il pourrait envisager de le revoir, peut-être même qu'ils s'entendraient à nouveau. Il n'a trouvé que ces mots-là, trop vagues, il ne sait pas quel sens l'avocat leur a donné.

— *La prison change tout homme, mais Maurice restera toujours Maurice,* lui répond Saint-Pierre.

— *Je ne veux plus vivre sous le même toit que lui.*

Il n'en dit pas plus. François Saint-Pierre tente de relancer la conversation sur le projet de livre. Guillaume souffle entre ses lèvres :

— *Ça ne mènera nulle part.*

— *Pourquoi dites-vous cela ?*

Guillaume le regarde dans les yeux.

— *Je vous le dis, ça ne mènera nulle part. C'est une fausse piste.*

L'échange s'arrête là. Quand il remonte dans sa voiture, Guillaume s'en veut. Il aurait dû se confier, vider son sac, il n'a pas osé.

Maurice continue de l'inonder de courriers. Il lui faut ce bail, ses messages deviennent furieux, menaçants. Il rend son fils responsable de chaque jour supplémentaire qu'il passe en prison. Guillaume appelle François Saint-Pierre et, sans lui laisser le temps de prononcer un mot, il se met à hurler dans l'appareil :

— *Vous n'avez pas compris ce que j'ai voulu dire l'autre fois dans votre bureau ? Alors je vais être beaucoup plus clair. La vérité, c'est qu'il l'a butée, la fille ! Il l'a butée ! C'est clair ? Vous comprenez maintenant pourquoi je ne veux pas cohabiter ?*

À l'autre bout de la ligne, il entend une voix calme lui répondre :

— *Guillaume, on se connaît bien. Mais il faut que vous compreniez une chose, je suis l'avocat de Maurice.*

Ils ne le lui expriment pas tout à fait comme ça, mais ils le pensent tellement fort, Anne, Thomas et les rares amis de Maurice, que Guillaume l'entend. Mauvais fils. Pour tous il est devenu le mauvais fils.

Que son père le dise, passe. Guillaume voudrait ne plus avoir affaire à lui. À 40 ans, il serait temps qu'il se désencombre, qu'il déchire la toile qui l'a si longtemps enserré. Mais pas eux. Pas Thomas, qui lui reproche désormais sa « *traîtrise* » et ne fait que répéter ce que dit Maurice. Et surtout pas sa mère. Elle sait, elle. Elle ne peut quand même pas le laisser seul avec le secret. Il ne lui demande que cela, ne pas le laisser seul avec ce poids-là.

C'est ce qu'il est venu dire à Anne à Cantaron. En descendant vers Nice, Guillaume se sent poussé par un besoin vital de s'assurer que sa mère n'a rien oublié. Qu'elle a suffisamment souffert de la force destructrice de Maurice et tant lutté pour y échapper qu'elle saura le comprendre et l'aider. Ça lui suffirait à Guillaume. Un mot, un geste ou même simplement un regard qui le rassurerait. Comme ces anciens combattants de la Grande Guerre, hantés du dedans, qui ressentaient la nécessité de se retrouver entre eux parce que ceux de l'arrière ne pouvaient pas partager les épreuves qu'ils avaient traversées, l'horreur qu'ils avaient vécue, l'effroi qui en était resté, et qui venaient frotter leur détresse à celle des autres pour se convaincre que tout cela avait bien existé. Guillaume a lu tout ce qui s'écrit sur le sujet. Au début il pensait que c'était parce qu'il aimait l'histoire en général et celle de 1914-1918 en particulier. Maintenant il sait que dans ces récits d'anciens combattants, il cherche l'écho de ses propres batailles.

Ça a duré une semaine. Sept jours et presque autant de nuits pendant lesquels il l'a harcelée. Guillaume croit devenir fou. Il ne dort plus, ne mange pas, se répète qu'il ne quittera pas Nice sans avoir entendu de la bouche d'Anne les mots qu'il attend.

— *Écoute, s'il se retourne contre moi, je veux que tu sois là. Et pour cela, je veux que tu me montres que tu n'as pas oublié la vérité et que cette vérité l'emporte sur tout le reste. Si tu n'as pas oublié où est la vérité, alors je serai en confiance, je sais que tu viendras me défendre.*

Anne se réfugie dans le silence. Plus Guillaume insiste, plus elle se cadenasse. Elle voudrait qu'il s'en aille, qu'il la laisse en paix, elle a plus que sa part d'enfer. Il l'épuise. Elle a peur de sa violence, il a un regard mauvais quand elle pleure. Il lui fait penser à Maurice. Elle songe à toutes ces années où Guillaume l'a choisi lui, contre elle, se dit-elle, et où il semblait si fier de son « copain » de père avec lequel, elle en est sûre, il a même partagé des histoires de femmes. Jérôme est mort, Thomas est loin, et Guillaume, le seul de ses fils qu'elle n'a pas envie de voir, est là campé face à elle, poings fermés, exigeant quelque chose qu'elle n'a pas envie de lui donner.

Ils sont dans le salon. Anne a préparé du café. Guillaume recommence.

— *Maurice nous a fait à tous les trois des aveux. On ne peut quand même pas faire comme s'ils n'existaient pas ! Essayons de dire les choses : « Maurice est un assassin. »*

Il mime comme le ferait un professeur face à un élève récalcitrant, en détachant chacune des syllabes.

— *Un as-sas-sin. Mau-ri-ce-est-un-as-sas-sin. Un as-sas-sin ! Dis-le ! Mais dis-le !*

Anne a levé les mains et les a collées très fort contre ses oreilles. Ne plus entendre, elle ne veut plus entendre la voix stridente de Guillaume.

— *Tu me l'as dit !* hurle-t-il. *C'est toi qui me l'as dit !*

— *C'est pas parce que je te l'ai dit que c'est une preuve !*

À ces mots, Guillaume ressent la même décharge que dans la cuisine de Chambéry, la même envie de frapper. Des mots pareils, il n'aurait pu les imaginer. Il ferme les yeux, serre la mâchoire à se la briser et lance de toutes ses forces sa tasse à café contre le mur. Le fracas des miettes de porcelaine qui tombent sur le carrelage les fait tous deux trembler. Ils se séparent hagards, brisés, plus étrangers l'un à l'autre qu'ils ne l'ont jamais été.

« À de certaines heures, pénétrez à travers la face livide d'un être humain qui réfléchit, et regardez derrière, regardez dans cette âme, regardez dans cette obscurité. Il y a là, sous le silence extérieur, des combats de géants. »

Victor Hugo, *Les Misérables*

L'hiver a dénudé les arbres et par la fenêtre de la cafétéria de son bureau, Guillaume aperçoit la maison de son père. Il se tient là, plusieurs fois par jour, un gobelet en plastique brûlant à la main, et il regarde. Volets clos, volets ouverts, lumières qui s'allument et s'éteignent. Souvent, il se lance des défis idiots comme quelqu'un qui voudrait retarder l'heure de la première cigarette ou du premier verre d'alcool. Se retenir de tourner la tête vers la fenêtre tant que le gobelet n'est pas rempli. Si l'attirance est trop forte, compter jusqu'à vingt, non jusqu'à dix, et s'en aller. Puis essayer de ne pas regarder du tout. Ou même renoncer au café pour ne pas être tenté de s'approcher de la fenêtre. Sa vie est pleine de ces minuscules bravades depuis que son père est sorti de prison.

Car François Saint-Pierre a gagné, la Cour européenne des droits de l'homme lui a donné raison. Dans un arrêt rendu le 10 janvier 2013, elle juge que *« faute de preuves formelles »* la thèse de l'assassinat d'Agnès Le Roux n'a reposé que sur des *« hypothèses »* et qu'en l'absence de motivation de l'arrêt de la cour d'assises qui l'a condamné à vingt ans de réclusion criminelle, Maurice Agnelet *« n'a pas disposé d'informations suffisantes lui permettant de comprendre le verdict »*. L'arrêt d'Aix-en-Provence est annulé et dans l'attente d'un troisième procès, Maurice Agnelet, présumé innocent, a retrouvé la liberté.

La peur, que Guillaume croyait avoir enfouie, est revenue. Lorsqu'il parcourt la cinquantaine de mètres qui séparent la porte de son immeuble du parking où sa voiture est garée, il scrute les alentours pour s'assurer que la voie est « libre ». Il évite désormais le supermarché où il avait ses habitudes de crainte d'y croiser son père. Il ne s'attarde plus aux terrasses des cafés, fuit la promiscuité des rues du centre-ville. À certains carrefours, il dévisage malgré lui les piétons. Un jour, alors qu'il était arrêté à un feu rouge, il a cru reconnaître la silhouette de Maurice et a aussitôt détourné la tête.

Guillaume sait que, pour son père, il est devenu l'adversaire. Il se répète les mots du psychiatre : *« On ne quitte pas Maurice Agnelet. Toute personne qui tente de lui échapper doit être réduite. »* Il le connaît si bien, il l'a tant vu, acharné à combattre ceux qui se sont dressés sur sa route, qu'il mesure mieux que quiconque le poids de cette obsession-là. Surtout quand il s'agit d'argent. Il y en a beaucoup là-bas, sur le compte au Panamá qui a été mis au nom de ses deux enfants par Maurice Agnelet. Guillaume n'a rien demandé à Thomas, il a saisi un prétexte pour accéder au compte, a divisé le pactole en deux parts égales, a rapatrié la sienne et s'est mis en règle avec le fisc auquel son père menaçait de le dénoncer.

Maurice a tout fait pour trouver sa nouvelle adresse à Chambéry. Il a harcelé de courriers la première compagne de son fils. Puis il a renoué le contact avec sa petite-fille. Que peut-il lui dire, Guillaume, à cette adolescente qui a longtemps grandi dans la même maison que Maurice et qui se réjouit de le revoir ? Comment pourrait-elle comprendre l'interdiction de son père de rendre visite à son grand-père, alors qu'il en a été si proche ? *« Ce n'est pas un type bien »*, lui souffle-t-il. Il ne va pas plus loin, il n'a pas la force de soutenir le regard que lui lancent ses grands yeux étonnés.

De sa peur, il a parlé avec François Saint-Pierre quand il a appris la remise en liberté de Maurice.

— *S'il revient à Chambéry, il va me cogner. Qu'est-ce que je fais si ça arrive ? J'appelle la police ?*

La réponse, prononcée sur un ton qui se veut amical, a été aussi ferme que la première fois :

— *Guillaume, si vous êtes frappé, votre seul interlocuteur, c'est la police. Mais je suis l'avocat de Maurice, ne m'en demandez pas plus.*

Alors Guillaume écrit. À Anne, à Thomas. Des phrases décousues pleines de fureur, il a mal partout, ça le rend enragé, méchant. « *Il fut un temps où tu as exigé de moi que j'entende que Maurice est un assassin et maintenant tu oses me rétorquer que je n'ai pas de preuve ! Mais quel genre de mère es-tu ?* » Il dit sa terreur : « *Oui, j'ai peur que Maurice me supprime ou qu'il s'en prenne à ma fille. Il faut, pour comprendre cela, avoir vu son regard, avoir senti dans ce regard que c'est ton être qu'il veut réduire à néant.* » Il parle de Jérôme et de sa carte postale, de sa terrible carte postale dans laquelle son aîné agonisant accusait ses parents d'être des assassins, il veut faire mal, Guillaume, blesser autant qu'il saigne. Il cogne avec ses mots comme il a frappé son père de ses poings. « *Non, je ne suis pas un fils indigne ! J'ai fait plus que ma part dans la défense de Maurice. Cela fait deux ans que je hurle et que vous feignez de ne pas entendre. Il faut sortir du déni, sortir du secret. Au moins entre nous !* »

« *Tes mails sont dangereux pour toi et ta famille. Sois prudent* », lui répond Anne.

Il hurle plus fort encore. « *Je ne peux pas me taire plus longtemps, je dénoncerai sa culpabilité et le fait que vous connaissiez la vérité. Tu penses que je veux te punir ? Non, je veux seulement me protéger. Je n'ai plus le choix. Ce n'est pas du chantage. J'appelle cela de la légitime défense.* » Sauf si. Il y a toujours un « sauf si » dans les messages de Guillaume. Sauf s'ils admettent enfin qu'ils savent. Alors, écrit-il, mais alors seulement, « *ce secret pourra rester entre nous* ».

Cette fois, Anne réagit. « *Je ne nie ni ce que j'ai entendu, ni ce que je t'ai dit. Tu as des convictions, des certitudes, mais aucune preuve. Oui, la disparition d'Agnès est une réalité. Non, son meurtre n'en est pas une car il n'a pas été prouvé et que, juridiquement, même les aveux ne sont pas une preuve. Pourquoi as-tu défendu ton père en son temps et pourquoi fais-tu cette chasse à l'homme aujourd'hui ? Quel est le but de ta démarche quand tu veux tout mettre sur la voie publique ? N'oublie pas que toi aussi tu seras dans l'œil du cyclone et que la justice ne sera pas là pour te comprendre ou pour t'excuser, mais pour te juger et le risque est grand. Ta fille doit-elle avoir un grand-père en taule et un père poursuivi par la justice ? Pour moi* – Anne écrit les mots qui suivent en lettres majuscules – *ce risque vaut largement tous les silences. Je l'ai toujours pensé et je continuerai. La justice est passée. Je ne veux plus avoir à en parler, jamais.* »

Vers qui se tourner ? En ce printemps 2013, Guillaume vient frapper à la porte d'un cabinet d'avocats à Chambéry. Il a apporté un article de journal qui rend compte de la décision de la Cour européenne des droits de l'homme et qui annonce qu'un troisième procès se tiendra à Rennes dans quelques mois. *« Cet homme est mon père »*, dit-il à l'avocate qui le reçoit. Il lui explique qu'il a des choses à dire et qu'il détient des confidences qui l'accusent. Il ne donne pas de détails, il hésite encore, il veut seulement se rassurer, se convaincre que quelqu'un peut l'écouter et lui tenir la main. *« Si vous vous décidez, je vous suis »*, lui répond l'avocate. Quand Guillaume raconte sa démarche à sa compagne, celle-ci s'inquiète. Il retourne voir l'avocate avec elle. Sa compagne le freine encore. Qui te croira ? lui demande-t-elle.

Qui me croira ? se répète Guillaume.

Le message est arrivé sur son téléphone le jour de son anniversaire, le 14 février. *« Mets ta main sur ta tête pour voir si tu as grandi. »* Cela fait des mois maintenant que Guillaume a rompu tout contact avec sa mère. La dernière fois, c'était pour lui annoncer la naissance de son fils. Cette phrase est leur rituel, Guillaume l'entend depuis qu'il est enfant, elle est pleine de moments heureux autour de la table de Cantaron ou dans la petite maison à Rabat, de gâteaux piqués de bougies qui coulent sur le chocolat, *« souffle-les vite Guillaume ! »*, et du crissement du papier cadeau que l'on déchire en sentant son cœur battre plus fort, il ne peut la lire sans sentir les larmes lui monter aux yeux. Juste après, Anne a écrit : *« Je suis convoquée. Je voudrais te parler. »* Dans le même message, elle a écrit ça.

À ses pieds, son fils rit en faisant rouler des voitures sur le parquet, ce fils dont ni Anne ni Maurice ne connaissent le visage, il voudrait que son père joue avec lui et pousse les voitures aussi, mais Guillaume ne bouge pas, il reste là, les yeux rivés à son téléphone et aux deux phrases collées l'une à l'autre qui s'affichent à l'écran. *« J'ai mis ma main sur ma tête… Non, je n'ai pas grandi »*, répond-il.

Le lendemain, un deuxième message d'Anne lui parvient. *« J'ai besoin de connaître tes intentions. Réponds-moi par courrier. »* Ses intentions ? Par courrier ? Guillaume a presque envie de sourire en voyant toutes les précautions que continue de prendre sa mère et qui lui rappellent le temps d'avant. L'époque *« Mac ou PC »* avec tous les mots que l'on s'interdisait d'écrire et de prononcer, les appels que l'on passait depuis une cabine téléphonique pour ne pas être écouté, l'époque

« soldat d'infanterie » contre l'ennemi commun juge ou policier. Que tout cela lui paraît loin et vain ! Ses « intentions », il ne les connaît pas encore, il essaie de ne pas y penser. Il sait juste que ce combat-là n'est plus le sien. *« Je ne répondrai pas à ta demande »*, écrit Guillaume.

Il hésite à ajouter quelque chose, la phrase vient toute seule sous ses doigts. *« Je dirais juste que la vérité a des vertus guérisseuses que le mensonge n'a pas. »*

Donc, ils savent.

Maurice Agnelet, son fils Thomas, son ex-épouse Anne, l'avocat, ils savent et ils se taisent. Quand s'ouvre le procès de Rennes, le 17 mars 2014, ils partagent la crainte sourde, diffuse, que Guillaume se décide à briser leur secret.

Comme tous ceux qui avaient vécu les longues semaines d'audience de Nice et d'Aix-en-Provence, je m'étais étonnée de ne pas le voir cette fois aux côtés de son père et de son frère. J'avais demandé à François Saint-Pierre les raisons de cette absence. Il m'avait répondu que Guillaume n'allait pas bien, qu'après le verdict d'Aix-en-Provence, il avait *« craqué »*. Thomas avait dit la même chose au président de la cour qui l'interrogeait. *« Il n'a pas supporté la condamnation d'Aix et il s'est éloigné de nous. »* Philippe Dary ne lui en avait pas demandé davantage. Qu'après tant d'années Guillaume Agnelet ressente le besoin de prendre du champ, de construire enfin sa vie loin de la justice et de la violence de ses revirements, était une explication plausible. Chacun s'en était contenté.

La première alerte est arrivée au cinquième jour. C'était un vendredi, il était 9 h 05, l'audience tardait à reprendre. Pour tuer l'attente et surveiller l'écho que l'affaire Agnelet rencontrait sur les réseaux sociaux, François Saint-Pierre parcourait sur son téléphone les messages de son fil Twitter. Ce matin-là, il découvre l'hommage que lui rend un de ses confrères pour son long combat aux côtés de Maurice Agnelet. *« Saint-Pierre, la passion de défendre, d'être celui qui dit : on ne passe pas, ni comme ça, ni autrement »*, dit le message. L'avocat scrute le destin de ces quelques mots flatteurs. Quand on y a goûté, on ne se lasse pas du miroir des vanités qu'offre ce babillage de salon planétaire et picrocholin. Parmi les réactions qui s'affichent, il lit celle-ci : *« Certes. Même si c'est un peu moins noble que de défendre la vérité. »* Elle est signée Guillaume Agnelet. C'est son premier et son seul tweet. Il n'a qu'un abonné, son frère Thomas.

Ainsi, Guillaume veille. François Saint-Pierre sait son besoin de reconnaissance, son impulsivité, sa détresse aussi. Il mesure aussitôt le risque d'incendie virtuel que sa phrase ciselée, vaguement menaçante, peut provoquer sur les réseaux sociaux, surtout si les journalistes qui suivent les débats, familiers eux aussi de Twitter, s'en mêlent. Par chance pour l'avocat, aucun d'entre nous ne repère ce jour-là l'avertissement du fils de Maurice Agnelet. En quelques heures, il est emporté et noyé dans le flot.

À Rennes, le procès se poursuit, deux semaines passent et Guillaume se tait. L'inquiétude de François Saint-Pierre s'apaise. L'avocat a déjà tant à faire avec les questions adroites du président, les dépositions accablantes des témoins, le dossier qui accuse et les dérapages quotidiens du père qu'il ne pense plus au fils.

Surtout, il est tendu vers un autre moment. Parmi les derniers témoins attendus à la barre figure Anne Litas. C'est la première fois que l'ex-épouse de Maurice Agnelet va témoigner devant une cour d'assises. Saint-Pierre ignore s'il doit la craindre ou l'espérer. Au vu des déclarations qu'elle a faites tout au long de l'instruction, il penche plutôt pour la seconde hypothèse. Le vrai danger, celui que représente la deuxième épouse divorcée de Maurice Agnelet, a été écarté. Françoise Lausseure, qui vit sur le continent américain, a fait savoir qu'elle ne viendrait pas à Rennes.

Quel effet étrange elle avait produit lorsqu'elle était entrée dans la salle d'audience à Nice ! La perspective de parler devant une cour d'assises pleine à craquer, en qualité de principal témoin à charge depuis qu'elle avait retiré à son ex-mari son alibi sur son emploi du temps au moment de la disparition d'Agnès Le Roux, aurait dû conduire dans le prétoire une femme empreinte de la gravité de l'enjeu. Au lieu de cela, on avait vu arriver une Merteuil de feuilleton télévisé, coquette sexagénaire au brushing fraîchement apprêté, chaussée de bottines du même rouge vif que ses collants. Appuyée nonchalamment à la barre, elle avait demandé au président :

— *Alors, vous voulez que je commence par où ?*

— *Par où vous voulez, madame.*

Elle lui avait lancé un regard mutin.

— *Maurice est quelqu'un qui m'a toujours beaucoup fait rire.*

Avec la même dérangeante légèreté, elle avait justifié l'alibi qu'elle avait accepté de donner à son amant.

— *Vous savez, je mets au défi quiconque d'aussi amoureux que je l'étais de refuser de faire ce que celui qu'on aime demande. Il m'a toujours dit qu'il n'avait pas tué Agnès Le Roux. À l'époque je le croyais. Maintenant je m'en fiche.*

Ce « *je m'en fiche* » jeté à la face de la cour et des jurés, de la famille Le Roux et de son ancien mari avait abasourdi et choqué. Les comptes rendus de sa déposition avaient été cruels et la blessure qu'ils lui avaient infligée était vive encore lorsque Françoise Lausseure était revenue témoigner, un an plus tard, à Aix-en-Provence.

Elle s'était excusée de sa nonchalance avant de dresser de Maurice Agnelet un portrait à la pointe sèche où transparaissait l'effarement que lui inspirait désormais la passion qu'elle avait si longtemps nourrie pour lui.

— *Il m'éblouissait. À partir du moment où l'on ne comprend pas quelqu'un, on a souvent tendance à penser que ce qu'il dit est très profond.*

Elle avait ajouté :

— *Et moi, je suis l'exemple parfait d'une vie complètement ratée. C'est comme ça !*

Pendant longtemps, disait-elle, elle avait voulu croire que Maurice Agnelet était plus attaché à elle qu'à la fortune dont elle disposait, avant d'être « dessillée ».

— *Il venait me voir en pleurant. Il n'y a rien de plus émouvant qu'un homme qui pleure quand on ne sait pas qu'il pleure sur commande, à volonté.*

Lorsqu'elle avait appris de son amant lui-même la naissance de sa liaison avec Agnès Le Roux, elle n'en avait pas pris ombrage.

— *Maurice a toujours pensé que le sexe tenait le monde et donc que c'était pour lui un moyen de réussir. À l'époque, je ne considérais pas Agnès comme une rivale. Pour moi, la rivale, c'était Anne, la mère de ses enfants.*

Un jour, alors qu'il lui murmurait des mots doux – *« ma mie »* –, Françoise s'était tout de même agacée.

— *Tu nous appelles toutes comme ça ?*

— *Non*, lui avait-il répondu, *Agnès, c'est ma croûte.*

Plus tard, Françoise avait appris que lorsqu'il parlait d'elle en son absence, il la présentait comme son « *gagne-pain* ». La seule femme dont Maurice Agnelet ne s'est jamais moqué, c'est Anne. D'elle il dit qu'elle est son « *jardin secret* ».

Quel contraste Anne Litas a offert avec Françoise lorsqu'elle est entrée dans la salle d'audience du palais de justice de Rennes au bras de son fils Thomas ! Un visage sans fard qu'encadrent des cheveux gris coupés court, une mise stricte, une tension de chaque instant dans le choix de ses mots pour répondre aux questions du président. Anne Litas avait 16 ans lorsqu'elle a rencontré Maurice Agnelet.

— *J'étais naïve et fleur bleue. J'ai vécu avec un homme que je ne connaissais pas. Avec lui toutes les conversations sont tronquées. Maurice est quelqu'un qui vous fait croire qu'il fait jour en pleine nuit. Quand je discutais avec lui, sa logique primait. Il fallait qu'il tourne les talons pour que je retrouve la mienne.*

Sa main trace dans l'air les ondulations d'un serpent.

— *Diriez-vous que vous étiez sous emprise* ? lui demande le président.

— *Absolument. J'avais peur de perdre mon intégrité et de ne plus être moi-même. Je n'ai retrouvé ma liberté que le jour où j'ai décidé de cesser de lui parler. Quand vous lui dites bonjour, vous mettez déjà le doigt dans l'engrenage.*

Elle décrit un mari qui n'a cessé de la tromper et a imposé la présence de ses maîtresses dans sa vie. Des femmes riches, des héritières, contrairement à elle, dont les parents étaient instituteurs. Le nom de son père, Albert, Ernest, Constant, est couché sur la liste des 1 038 compagnons de la Libération. La colère d'Anne Litas jaillit d'un trait, sec et affûté comme une réplique de cinéma.

— *Le jour où mon père tombait devant Aubagne, M. Le Roux père commençait sa carrière dans les jeux de casino…*

Elle raconte surtout une vie dévastée par les rebondissements judiciaires d'une affaire qui n'a cessé de la ramener à l'homme qu'elle avait décidé de fuir.

— *Ce que vous lisez dans les journaux, mes enfants et moi, nous le lisons chaque jour dans les yeux du facteur, du voisin, de la boulangère. Tous les efforts de reconstruction que j'ai tentés ont été systématiquement détruits.*

De Chambéry, Guillaume suit tout ce qui se dit sur le procès de Rennes. Jusqu'au dernier moment, il a douté que sa mère réponde à la convocation de la cour d'assises. Il pensait qu'elle fuirait l'épreuve comme les deux fois précédentes. Maintenant qu'il sait qu'elle est à la barre, il veut croire que tout est possible. Que peut-être elle va le libérer. Le protéger, qui sait. Une mère, c'est quand même fait pour protéger ses enfants. Mais la sienne ? Les journalistes disent qu'elle pleure beaucoup. Guillaume voit qu'elle les impressionne.

La douleur est arrivée d'un coup. Là-bas, Anne accable l'homme, l'ancien mari – *« Quitter Maurice a été ma survie »*, dit-elle –, mais elle défend l'accusé.

— *C'est un mauvais mari et un mauvais père, mais je ne dis rien de plus.*

Elle affirme qu'elle a toujours tout ignoré de l'affaire qui lui est reprochée. Tout juste convient-elle qu'il lui est arrivé de *« faire des hypothèses »* sur la responsabilité de Maurice Agnelet dans la disparition d'Agnès Le Roux.

— *Mais elles ne m'ont jamais amenée à une certitude.*

Elle dit surtout que tout cela est beaucoup trop vieux et qu'il faut *« tourner la page »*. Qu'il y a *« un doute »* et que, lorsqu'il y a doute, *« la loi commande aux juges d'acquitter »*.

Sa mère devenue le meilleur avocat de son père, Guillaume n'aurait jamais pu l'imaginer. Quand il rentre chez lui, il est décomposé. Il ne ferme pas l'œil de la nuit, se répète en boucle les phrases de sa mère – *« tourner la page »*, *« un doute »* – et celles qu'elle n'a cessé de lui répéter, à lui, son fils. *« Tu es l'aîné, tu as le devoir d'aider ton père. »* Elle n'a que ce mot à la bouche, le devoir. Le lendemain matin, la décision de Guillaume est prise. Il ira déposer son secret, là-bas, à Rennes. Pas dans la presse. Pas sur les ondes d'une radio. Pas sur un plateau de télévision. Dans un palais de justice.

Il est encore tôt, ce samedi matin d'avril, quand Guillaume compose le numéro d'un ami qu'il sait proche d'un juge. Il aimerait le rencontrer, le plus tôt serait le mieux, oui, tout de suite même, c'est urgent. L'ami connaît son histoire, il lui promet de s'en occuper. Guillaume attend. Il prend son fils sur ses genoux, l'aide à faire un puzzle, d'abord les angles, puis le ciel avec le nuage, la roue de la voiture rouge, le rond noir du volant, la casquette jaune du bonhomme. Les neuf pièces sont assemblées, l'enfant est fier, on recommence, dit le père. Sa compagne lui demande de l'emmener en ville, Guillaume prend le volant, éteint brusquement la radio qui annonce des températures très froides pour la saison. Au bout d'un kilomètre, il s'arrête et se gare le long d'un trottoir. *« Prends le volant, j'ai peur de provoquer un accident. »* Son téléphone portable sonne enfin. Il verra le juge demain matin.

Le rendez-vous a été fixé sur le parking d'une résidence aux environs de Chambéry. Guillaume voit arriver un homme en survêtement, chaussé de baskets. Ça l'étonne, il n'imaginait pas un juge mal rasé avec des enfants autour qui jouent au ballon. Ils font quelques pas pour se mettre à l'écart. Guillaume lui explique qu'il veut aller témoigner au procès de son père à Rennes, qu'il a des *« révélations »* à faire. *« Dès lundi »*, insiste-t-il.

Guillaume parle, c'est la première fois qu'il s'entend raconter à un étranger les souvenirs qui encombrent ses nuits et trempent ses réveils de sueur. Tout paraît soudain si simple. Il suffit de laisser couler les mots. Aux rares questions que le juge lui pose, Guillaume comprend qu'il a entendu parler de « l'affaire », il en a même suivi tous les épisodes judiciaires. Il a pris un air grave, presque paternel.

— *Je peux vous présenter au procureur de la République. Mais réfléchissez bien. Je ne vous force pas à le faire. C'est à vous de décider.*

— *J'ai réfléchi. Je suis prêt.*

Guillaume ouvre son portefeuille, prend sa carte d'identité, la tend au juge.

— *Je suis prêt*, répète-t-il.

— *Je vais le prévenir. On se quitte là-dessus ?*

— *On se quitte là-dessus.*

Quand il se gare, trois heures plus tard, devant la façade rouge sarde du palais de justice de Chambéry, Guillaume est étonnamment calme. C'est ce qui le surprend le plus, d'ailleurs, ce calme qui l'envahit en marchant dans les couloirs déserts, ce dimanche après-midi, 6 avril, jusqu'au bureau du procureur. Le vieux parquet craque sous leurs pas, ils longent en silence la galerie bordée de plantes vertes dont les plumeaux viennent lécher les dorures des tableaux. Quelques marches à franchir encore et les voilà tous deux, Guillaume et le procureur, assis de part et d'autre d'un bureau encombré de papiers.

Le procureur l'écoute sans l'interrompre. Quand Guillaume achève son récit, il lui dit simplement :

— *Il y a matière. On fait une déposition ?*

— *Oui. On fait une déposition.*

Guillaume répète l'histoire, sans rien ajouter ni retrancher.

— *Relisez.*

Guillaume lui demande de reformuler une seule phrase. Il signe sa déposition et prend congé. Dehors, sur le parvis du palais de justice, la lumière de cet après-midi de printemps lui semble plus vive. Il serre les doigts sur le papier à en-tête officiel de la République française qu'il a glissé dans la poche droite de son blouson. Deux pages. Ce n'est pas beaucoup finalement, deux pages pour trente ans de sa vie.

De retour chez lui, il dit à sa compagne :

— *C'est parti.*

Ses dossiers sous le bras, la greffière frappe doucement à la porte du bureau du président Philippe Dary, au premier étage du palais de justice de Rennes. Depuis qu'il préside la cour d'assises, cet ancien juge d'instruction est apprécié de tous. L'homme est jovial, le magistrat rigoureux. Son nom s'est tout de suite imposé quand la cour de Rennes a été désignée pour juger l'encombrant dossier Agnelet. Depuis trois semaines, tout se passe au mieux, aucun incident n'est venu gripper la mécanique de l'audience, il ne reste plus qu'une poignée de témoins à entendre. Le calendrier a été tenu, peut-être même le verdict pourra-t-il être avancé d'une journée.

Philippe Dary se lève, il a le teint livide. Sylvie Barbe s'en inquiète.

— *Vous êtes malade ?*

Il dit non de la tête et lui tend les feuillets dactylographiés posés sur son bureau.

— *Lisez cela.*

Quand elle repose les deux pages, ils se dévisagent en silence. Ils n'ont pas besoin d'en dire plus. L'un et l'autre savent que ce qui va se passer sera terrible. Le président parle le premier :

— *Je veux l'entendre ce matin. Je compte sur vous.*

Il faut faire vite. L'audience s'ouvre dans un peu moins d'une heure. Les jurés ne vont pas tarder à arriver, ils ont pris l'habitude de se retrouver chaque matin un peu plus tôt pour partager une tasse de café avant d'entrer dans la salle. Cinq femmes, quatre hommes, qui ne se connaissent que depuis trois semaines et qui se racontent déjà leur vie comme s'ils étaient de vieux amis. C'est souvent comme ça avec les jurés. D'abord, ils maudissent le tirage au sort qui les a désignés et après, ils n'ont plus envie de se quitter.

Ce n'était pourtant pas gagné cette fois. Certains d'entre eux étaient tout juste nés quand Agnès Le Roux a disparu. Au début du procès, ils s'étaient inquiétés. Comment allaient-ils pouvoir juger une affaire si lointaine sur laquelle la justice a tant tergiversé ? Le président Dary les avait rassurés. Il fallait attendre, écouter et se laisser porter, leur avait-il dit. Il ne s'était pas trompé. Tout un monde avait lentement ressuscité devant eux, qui leur était devenu familier.

La greffière accueille les jurés en s'efforçant de

ne rien laisser paraître de son trouble. Dans le couloir qui mène à la salle d'assises, elle croise l'avocat général Philippe Petitprez. Il n'a pas le même visage bonhomme que d'habitude, ses yeux sourient moins sous ses sourcils en accent circonflexe. Il sait, pour Guillaume Agnelet, c'est lui qui a été prévenu en premier dimanche en fin d'après-midi de sa déclaration et qui en a informé le président. Il est venu en avance pour guetter l'arrivée de la famille Le Roux, Catherine et Patricia, les sœurs aînées d'Agnès, Jean-Charles, son frère cadet, accompagnés de leurs deux avocats parisiens, Hervé Temime et Julia Minkowski. Philippe Petitprez aimerait leur glisser quelques mots, avant, pour amortir le choc, mais il ne sait pas trop comment faire, il n'a pas le droit de leur révéler quoi que ce soit.

La jeune avocate, cheveux blonds noués sur la nuque, teint pâle, est entrée la première, la démarche un peu alourdie par ses sept mois de grossesse. Philippe Petitprez s'est avancé vers elle. Très vite, d'une voix assourdie, il lui dit :

— *Il y a un élément nouveau. Dites à la famille qu'elle doit se préparer à entendre quelque chose de dur.*

Julia Minkowski le dévisage, interrogative et inquiète. Elle répète ces deux phrases à Hervé Temime et à Jean-Charles Le Roux. « *Quelque chose de dur* », « *un élément nouveau* ».

Que peut-il leur arriver de pire que ce qu'ils

ont déjà vécu ? La perte d'une sœur, le mystère de sa mort, l'absence de corps, cette si longue traque judiciaire et ce troisième procès qui a rouvert leurs plaies et leur crainte de voir Maurice Agnelet échapper à une condamnation. À leur mère Renée, âgée de 92 ans, ils n'ont rien osé dire de cette ultime volte judiciaire. Fatiguée, presque aveugle, elle ignore qu'ils sont là, tous les trois, à Rennes, face à Maurice Agnelet, libre et présumé innocent. Son absence leur a permis de confier, pour la première fois, le poids de cette affaire sur leurs vies, la lassitude face à l'obsession de leur mère qu'ils ont chacun ressentie, le chagrin qu'ils ont souvent éprouvé à la voir ainsi emmurée dans la quête de sa fille, ne prêtant qu'une attention lointaine à ses autres enfants, aux parents qu'ils étaient devenus, aux petits-enfants qu'ils lui avaient donnés. Quelque chose de dur. Un élément nouveau. Les mots cognent dans leurs têtes, ils n'ont pas la force de penser plus loin.

Comme chaque matin depuis trois semaines, Maurice Agnelet a quitté sa pension bon marché située près de la gare pour rejoindre l'hôtel où l'attend son avocat, François Saint-Pierre. Les commerçants de la rue de la République se sont habitués à voir cheminer ensemble jusqu'au palais ces deux silhouettes mal assorties, la stricte élégance de l'une, costume sombre affûté, manteau bleu nuit dont les pans s'entrouvrent sur une doublure de soie mauve, l'allure négligée de l'autre, engoncée dans un vieux survêtement noir et chaussée de savates. Dans quatre jours, l'avocat doit plaider l'acquittement de celui qu'il défend depuis plus de vingt-cinq ans. Il en veut à Maurice Agnelet de l'aider si mal. D'avoir troqué le personnage apparu au premier jour de son procès, vieilli, épuisé, qui se laissait choir sur son banc, comme indifférent au brouhaha qui l'entourait, contre cet accusé éruptif, enfiévré, obsessionnel, décalé, incontrôlable. Maurice Agnelet est à l'os. L'âge, qui a décharné son corps, a aiguisé les traits de son caractère. Et il a vu, l'avocat, l'intérêt teinté d'effroi que ce personnage-là, le glaçant et fascinant Maurice Agnelet, a réveillé chez les jurés.

Il va leur répéter que même s'ils ne l'aiment pas, cet accusé, ils ne savent toujours pas avec certitude *« où, quand, comment, avec quels moyens, et donc par qui »* Agnès Le Roux a été assassinée – le *« Quis, quid, ubi, quibus auxiliis, cur, quomodo, quando ? »* de son maître Quintilien –, et que l'on ne peut condamner un homme sans avoir la réponse à ces questions-là.

François Saint-Pierre pose son cartable sur le banc de bois clair. Il ne prête pas attention au regard de l'avocat général. Il aurait été étonné de ce qu'il y aurait lu. Des encouragements. De la bienveillance. De la gêne aussi de savoir, à sa place d'accusateur, quelque chose que l'avocat de la défense ignore encore.

Dans une petite pièce séparée, Thomas Agnelet attend, seul. Plus d'une heure a passé depuis que le président l'a appelé à la barre pour lui annoncer qu'une *« information »* était parvenue à la cour qui devait être rendue publique hors de sa présence. A-t-il perçu le fracas de l'autre côté du mur quand Philippe Dary a lu les deux feuillets de la déposition de son frère aîné ? Quand l'avocat général, citant les mots de Guillaume Agnelet – *« Je crains la réaction de mon père qui, d'un moyen ou d'un autre, cherchera probablement à se venger »* –, a demandé à la cour de prononcer l'arrestation immédiate de l'accusé afin d'empêcher toute pression sur le témoin. Que lui disent les yeux de la greffière quand elle vient le chercher ? Le silence de sépulcre qui l'accueille à son entrée dans la salle d'audience. Il aperçoit les uniformes bleu sombre qui encadrent son père et lui jette un regard de noyé. Le président interrompt leur dialogue muet.

— *Nous disposons d'éléments nouveaux qui nécessitent que vous et votre mère soyez réentendus. Avez-vous son numéro de téléphone portable ?*

— *Oui.*

— *J'ai besoin de lui laisser un message.*

— *Je... je peux l'appeler avant ? Que voulez-vous que je lui dise ?*

— Que sa comparution est nécessaire. Je vous demande de l'appeler en présence d'un policier.

— Et… ces éléments nouveaux ?

— Je préférerais que vous n'en soyez pas informé maintenant.

L'huissière le raccompagne vers la sortie, un garde lui emboîte le pas. Sur le grand écran installé derrière la cour apparaît le visage de son frère aîné.

— Je m'appelle Guillaume Agnelet, j'ai 45 ans, je suis informaticien.

Les mains croisées sur la table, il fixe la caméra.

Son visage, filmé en plan serré, est plus rond que dans mon souvenir, son crâne s'est dégarni. Mais je retrouve chez lui cet air de dureté qui m'avait marquée lors du procès de Nice. De la pièce du tribunal de Chambéry où il est accueilli, Guillaume Agnelet ne voit pas les traits ravagés des deux sœurs et du frère d'Agnès Le Roux qui l'écoutent, blottis les uns contre les autres. Il ne voit pas non plus le visage tendu de François Saint-Pierre, et derrière, celui de son père. Il n'aperçoit que le président, les deux juges assesseurs qui l'entourent et les premiers jurés assis à leurs côtés.

Philippe Dary lui rappelle que, en tant que fils de l'accusé, il ne prête pas le serment rituel des témoins qui jurent de *« dire toute la vérité, rien que la vérité »*.

— *Mais vous devez dire la vérité sur ce que vous savez.*

— *Oui.*

— *Pourquoi faites-vous ce témoignage, maintenant ?*

— *Parce que je ne me réveille pas bien depuis que j'ai 15 ans. Et que si je ne le faisais pas aujourd'hui, je sais que je l'aurais regretté jusqu'à la fin de ma vie.*

— *Vous avez suivi toute la procédure, vous avez été entendu par un juge d'instruction, vous avez témoigné lors des deux précédents procès, et vous n'avez jamais songé à parler ?*

— *J'étais en mode défense. Parce que c'est mon père. Parce que c'est ma famille.*

Le mesure-t-il, de là où il est ? Chacun de ceux qui l'écoutent, les juges, les jurés, l'accusation, la défense, la famille Le Roux, le public, s'est transformé en examinateur. On scrute l'écart de mot, la confusion, la maladresse ou l'outrance qui donnerait le signal de la défiance.

Qui fréquente les cours d'assises connaît bien ces moments-là. Le témoin y est jeté comme une souris entre les griffes non pas d'un mais de plusieurs chats, qui cherchent chacun à éprouver la capacité de survie de leur proie. Certains, entrés dans l'arène tout gonflés d'eux-mêmes, repartent en lambeaux. D'autres, dont on pensait qu'il ne serait fait qu'une bouchée, résistent sans une égratignure. On a vu des crédibilités s'effondrer sur une phrase, des mauvaises colères ruiner en quelques secondes une apparente sérénité ou de sains emportements asseoir soudain une autorité qui faisait défaut.

Guillaume Agnelet parle bref et dense à la fois. Il écoute les questions – sur l'écran géant, on voit son visage qui se penche légèrement –, fait parfois répéter un mot qu'il a mal entendu et répond au plus près. Il donne quelques précisions. L'adresse d'un lieu, un détail de chronologie, d'attitude. Les phrases du procès-verbal prennent chair, elles enflent, rebondissent contre les murs, les mots sont les mêmes, mais c'est leur voix que l'on écoute.

— *La première fois, nous étions avec Thomas chez un de ses amis, au 106, rue de l'Ouest à Paris. Mon père ressassait le dossier comme je l'avais déjà vu faire une dizaine de fois. C'est là qu'il m'a dit : « Tant qu'ils ne retrouvent pas le corps, je suis tranquille, et moi, le corps, je sais où il est. » Je n'ai pas demandé de précisions. Mais le regard qu'il m'a lancé ne laissait pas d'équivoque sur le fait qu'il savait.*

Sans attendre une nouvelle question du président, il évoque la deuxième confidence, qu'il dit avoir reçue de sa mère.

— *Elle m'a fait asseoir sur le lit. « Je vais te dire qui est ton père. »*

Guillaume raconte et voilà qu'en quelques phrases des réponses à chacune des questions posées depuis le premier procès apparaissent dans la bouche d'un fils qui dit les tenir de sa mère, de celle-là même qui, trois jours plus tôt, a assuré avoir tout ignoré de l'affaire. Quand Agnès Le Roux a-t-elle été tuée ? À la Toussaint 1977, alors qu'elle était partie faire du camping sauvage avec Maurice Agnelet. Où ? En Italie, dans la région de Monte Cassino, *« dans un coin reculé de la campagne comme mon père les affectionne »*, précise Guillaume Agnelet. Et la plus terrible : comment ? D'une balle dans la tête pendant son sommeil.

Il précise :

— *Je ne peux pas être affirmatif sur le fait que ma mère m'a dit qu'il avait tiré « dans la tête », peut-être que c'est moi qui ai reconstitué cette image de balle « dans la tête ».*

Puis il ajoute :

— *Tous ces éléments, je ne les ai pas réclamés. Ils me sont tombés dessus.*

Jean-Charles Le Roux serre à la briser la main de sa sœur Patricia. Un souvenir lui revient en mémoire. C'était à la fin des années 1990. Comme sa mère, le frère cadet d'Agnès ne voulait pas laisser échapper la moindre chance d'obtenir un indice, aussi ténu soit-il, sur la disparition de sa sœur. Il s'était envolé pour Montréal afin d'y rencontrer Françoise Lausseure qu'il avait suppliée de lui accorder un rendez-vous. Le couple qu'elle formait avec Maurice Agnelet se déchirait déjà mais elle n'avait pas encore avoué à la police le faux témoignage qu'elle avait fait en sa faveur. Jean-Charles pensait que, peut-être, cette femme qui avait vécu des années avec Maurice Agnelet savait quelque chose. Françoise l'avait reçu cordialement mais ne lui avait fait aucune confidence.

Quelques semaines plus tard, il avait pourtant reçu d'elle un appel téléphonique lui suggérant de se rendre à l'aéroport de Roissy où son fils Régis, en transit en France, l'attendrait. Les deux hommes avaient le même âge, une trentaine d'années, ils étaient aussi gênés l'un que l'autre de ce rendez-vous aux allures de mauvais polar. Le message que Françoise avait chargé son fils de transmettre à Jean-Charles tenait en une phrase : *« Intéressez-vous à Monte Cassino. »* Ils n'avaient rien trouvé d'autre à se dire, avaient bu leur café, s'étaient serré la main et avaient repris leur chemin. Jean-Charles avait signalé l'épisode au juge sans lui accorder une grande importance. Il avait même pensé au contraire qu'en lui disant cela, Françoise Lausseure cherchait à l'orienter sur une fausse piste.

Guillaume Agnelet en vient à son troisième souvenir, celui de l'aéroport de Genève, lorsqu'il était allé avec Thomas accueillir son père qui rentrait du Panamá. Il parle et on ne peut s'empêcher de les imaginer tous les trois, dans cet aéroport de Genève. L'attente des fils de l'autre côté de la porte des arrivées des vols internationaux. Leurs yeux rivés au flot des voyageurs.

La silhouette de leur père qui apparaît enfin et ces secondes où le regard embrasse et évalue les contours d'un corps, les traits d'un visage, les rides plus creusées, le cheveu plus rare comme on ferait la mise au point sur une image pour l'adapter au souvenir qu'on en a gardé avant d'adresser un sourire, le sourire unique de ces instants-là, qui dit à l'autre qu'il n'a pas changé. Peut-être encore l'ont-ils entouré de leurs bras, ce père qui leur revenait, porté ses valises et plaisanté en se dirigeant vers le café. Guillaume devait avoir tant de choses à raconter sur l'enfant qui était née, Thomas sur son séjour à Tahiti avec des chasseurs de perles et la passion qu'il venait de se découvrir pour la ferronnerie d'art.

On les suit, attablés au café avec tout autour d'eux des voyageurs en transit, des familles qui se retrouvent ou qui s'apprêtent à se séparer. Des pères et des fils qui leur ressemblent et qui eux aussi ont plein de choses à se dire. Il doit y avoir du bruit, de la musique et une voix d'aéroport dans les haut-parleurs qui couvre de temps à autre les leurs. Et eux, les Agnelet, au milieu, qui parlent du temps de décomposition d'un cadavre, comme d'autres de la météo ou de la fatigue du voyage.

— *Ça a duré peut-être une demi-heure, au total. Voilà. Alors voilà.*

Le président veut savoir, on veut tous savoir, en ont-ils discuté ensemble, après, les deux frères ? Ou chacun a-t-il préféré garder pour lui ce qu'il avait entendu ou cru entendre, perçu ou cru percevoir, compris ou refusé de comprendre ? La justice a besoin de réponses claires, c'est comme ça qu'elle avance. Elle aimerait qu'on lui dise : *« Oui, on en a parlé »* ou *« Non, on n'en a jamais parlé »*. Entre les deux, il y a l'infini de l'ambivalence. *« Peut-être », « je ne m'en souviens pas », « un peu », « à peine », « je ne sais plus exactement ce qu'on a pu se dire »*.

Philippe Dary pose la question au sujet de Thomas. Et dans ces quelques mots – *« A-t-il participé à la conversation ? Vous en a-t-il reparlé ? »* – il y a tous les autres qui s'engouffrent. Thomas a-t-il menti à la cour quand, au début du procès, il est venu répéter à la barre qu'il a toujours tout ignoré des faits reprochés à son père ? Thomas qui n'entend rien de tout cela, dans la pièce voisine de la salle d'audience où il a été confiné. Et c'est à l'aîné que l'on demande de dire ce que, selon lui, sait son cadet.

Ça n'a duré qu'une fraction de seconde. Une crispation du visage, une brume dans la voix.

— *Je fais mon témoignage. Pas celui de Thomas. Thomas, je le comprends, j'ai longtemps été dans sa position.*

Philippe Dary insiste. Guillaume Agnelet rechigne encore. Il finit par lâcher :

— *Le récit des trois souvenirs que je viens de faire, il le connaît.*

— *Pensez-vous que votre mère a fait aussi des confidences à Thomas ?*

— *Je le pense.*

— *Et à votre frère Jérôme ?*

Le président précise sa question. Il évoque l'effrayante carte postale de Jérôme. Guillaume ne semble pas surpris qu'on l'interroge à ce sujet.

— *Je pense que Jérôme voulait dire que ce secret de famille tue tout le monde, comme moi, il me tue à petit feu.*

Deux frères. L'un qui défend toujours son père, l'autre qui désormais l'accuse. Il y aura donc confrontation, on va les jauger, leur attribuer à chacun un indice de confiance. L'audience sert à cela, qui doit bâtir une intime conviction.

— *Faites entrer Thomas Agnelet,* demande le président.

On regarde à l'écran Guillaume regarder son cadet quand il s'avance à la barre.

— *Avez-vous été informé d'éléments sur cette affaire et sur les conditions de la disparition d'Agnès Le Roux ?*

— *Je vous ai déjà dit que je n'ai rien à dire sur les faits. Les faits, je ne sais rien des faits.*

— *Votre mère vous a-t-elle fait des confidences ?*

— *Avec elle, on parle le moins possible de mon père.*

— *Êtes-vous allé chercher votre père à son retour du Panamá à l'aéroport de Genève ?*

— *Non.*

— *Vous n'avez pas le souvenir d'une discussion entre votre père, votre frère et vous à l'aéroport de Genève ?*

— *Non.*

— *Guillaume dit que son père et sa mère lui ont fait des confidences.*

Philippe Dary en donne le détail.

— *C'est hallucinant. Hallucinant.*

— *Guillaume vous a-t-il dit un jour qu'il allait parler ?*

— *Là, ce n'est plus un rêve, c'est un cauchemar.*

— *A-t-il inventé l'intégralité de ces déclarations, selon vous ?*

— *Je ne comprends pas ce qui lui arrive. Peut-être qu'il est fatigué…*

Le président s'adresse à Guillaume Agnelet, qui a tout entendu de l'échange.

— *Maintenez-vous que cette conversation a bien eu lieu à l'aéroport de Genève et que votre frère Thomas était là ?*

— *Je le maintiens. C'est mon témoignage. Mais je répète, je n'ai rien contre mon frère.*

— *Confirmez-vous que votre frère connaissait le récit que vous nous avez fait ?*

— *Oui.*

Il revient à Thomas Agnelet.

— *Que dites-vous de cela ?*

— *Cette conversation, je ne crois pas qu'elle a eu lieu.*

« Je ne crois pas », il a dit.

— *Vous rendez-vous compte de l'importance du témoignage de votre frère ? De son effet sur la famille Le Roux ? On vous demande juste de dire si vous savez quelque chose.*

— *Je… je… pour moi, c'est incroyable. J'ai besoin de temps pour intégrer tout cela…*

Il ajoute, sa voix s'est voilée :

— *C'est très compliqué d'être un enfant là-dedans.*

Le président a laissé passer quelques secondes, l'éternité, sur cette dernière phrase de Thomas Agnelet. Il se tourne vers l'avocat de la famille Le Roux :

— *Me Temime, avez-vous des questions ?*

Il n'en a qu'une qu'il pose à Guillaume Agnelet :

— *Pourquoi n'avez-vous pas été cité comme témoin à ce procès ?*

— *Parce que pour les deux premiers procès, je l'ai été par la défense.*

— *Et ?*

— *Et que tout le monde savait quelle serait la teneur de ma déposition si j'étais cité cette fois.*

La salle frémit.

— *Tout le monde ? C'est qui « tout le monde » ?*

— *Ma mère, mon frère et… Me Saint-Pierre.*

François Saint-Pierre se lève d'un bond, sous le souffle de la rafale qui vient de le percuter. Il est la robe noire de la défense, mais il est aussi

– d'abord ? –, à cet instant, son propre avocat. Il doit à la cour, dit-il, une *« mise au point »*.

— *Cette situation est profondément cruelle. Je connais Guillaume et Thomas depuis des années, j'ai vécu leur déchirement. Je suis soumis au secret professionnel…*

Il parle aux juges, et surtout aux jurés, à ces citoyens qui le fixent avec une lueur de dureté et qui se disent sans doute qu'il les a trompés. Se souviennent-ils à cet instant, les jurés, de sa plaidoirie du premier jour, quand il affirmait que ce procès sans cadavre était *« impossible »* ? Du ton d'autorité avec lequel il avait délivré une leçon de droit à la cour en lui demandant de constater qu'elle ne pouvait pas juger cette affaire ?

— *Le rapport de l'avocat à la vérité est une question philosophique*, dit-il. *Mais je tiens à dire ici devant vous que jamais je n'ai soutenu l'acquittement d'un accusé sachant clairement sa culpabilité.*

Clairement.

L'audience est suspendue. Dans le couloir, François Saint-Pierre fait les cent pas, claquant sa langue à la recherche d'un oxygène qui semble lui manquer. Adossé au bois clair du box, les jambes allongées, Maurice Agnelet dévisage ceux qui pénètrent dans la salle. L'information sur l'événement du matin s'est répandue comme une traînée de poudre et les curieux piétinent déjà devant le palais dans l'espoir d'avoir une place. Thomas Agnelet n'est pas revenu.

« La cour ! » annonce l'huissière. Le président Dary s'assure d'un bref coup d'œil que chaque juré est à sa place et demande à Maurice Agnelet de se lever. Son timbre a une sécheresse qu'on ne lui connaissait pas.

— *Je voudrais revenir sur ce qui s'est passé ce matin. Vous avez entendu votre fils Guillaume. Ce qu'il dit est grave. Pourquoi, selon vous, fait-il cette déclaration maintenant ?*

Dans la salle de la cour d'assises éclate le rire de Maurice Agnelet. Une petite secousse aiguë, comme le crissement d'une craie sur le tableau noir. Son fils aîné a fait chavirer l'audience. Son fils cadet a tenté comme il a pu de tenir dans la tempête. Et Maurice Agnelet rit. Rien ne va avec, ni les mots entre les rires, ni l'atmosphère, ni les circonstances. Et sous la disharmonie de ce rire, François Saint-Pierre courbe les épaules comme s'il ployait sous un fouet.

— *Ce pauvre Guillaume, il est malheureux, ce garçon* (rire). *Non seulement je ne le comprends pas, mais ça s'aggrave ! C'est incroyable ! C'est incroyable !* (rire)

La voix du président, toujours plus rude.

— *Ça ne vous trouble pas, tous ces détails qu'il donne ? Quel serait son intérêt à ne pas dire la vérité ?*

Celle, stridente, de Maurice Agnelet lui répond.

Le bras droit tendu, l'index pointé vers l'écran, menaçant, exalté, il glapit :

— *J'ai partagé l'héritage ! L'héritage ! Et on va dire que je suis un mauvais père !*

Le président Dary annonce qu'une confrontation s'impose entre Anne, la mère, Thomas et Guillaume, en présence de ce dernier, et qu'elle aura lieu mercredi. Tous les regards se tournent vers le banc de la défense. François Saint-Pierre se lève, il plante ses yeux dans ceux de son client. Il parle pour eux deux. Pour le radeau à la dérive sur lequel ils sont échoués, liés l'un à l'autre.

— *Maurice Agnelet.* [Il marque un temps] *Cette affaire est une tragédie familiale. Dans deux jours vos deux fils et votre ex-épouse vont être confrontés devant nous. Nombreux sont les acteurs de ce procès, les jurés, qui s'inquiètent pour votre fils Thomas. Qu'en est-il de vous, Maurice Agnelet ? Il est toujours temps d'évoluer. De porter une parole courageuse pour dire votre vérité. Vous avez le temps de la réflexion d'ici mercredi.*

L'accusé le regarde et siffle dans le micro :

— *Mais… quelle est la question ?*

Guillaume est arrivé en avance à la gare de Chambéry, son train ne partait que vers midi, il s'est attardé au kiosque, a acheté un livre sur l'histoire des religions qu'il a parcouru pendant le trajet. Gare de Lyon, à Paris, il a emprunté une première, puis une deuxième ligne de métro – l'aérienne, celle qu'il préfère, surtout quand elle franchit la Seine et qu'elle glisse le long des immeubles, offrant au regard l'intimité furtive d'un intérieur, des silhouettes se découpant dans le halo d'une lampe – pour rejoindre la gare Montparnasse. Il avait du temps avant sa correspondance, il a avalé un sandwich et une barquette de frites avant de monter dans le TGV qui devait le conduire à Saint-Brieuc où un ami l'accueillait pour la nuit. Il s'est amusé à compter les éoliennes qu'il voyait sur le parcours, il a même fait des photos qu'il a envoyées à sa compagne avec un petit mot pour lui dire que tout allait bien. Quand le train a fait halte quelques minutes en gare de Rennes, il a fixé le panneau bleu aux six lettres blanches, il s'est étonné de ne rien ressentir. À Saint-Brieuc, il a été heureux d'apercevoir au bout du quai son ami qui le guettait. Il lui a demandé de s'arrêter dans une pharmacie pour acheter une boîte de somnifères, c'était trop tard, le volet était baissé, tant pis. Il a bu un, puis deux, puis trois verres d'apéritif en écoutant son ami lui raconter sa vie, il a vidé son assiette de spaghettis à la bolognaise et il s'est endormi.

Ils sont partis très tôt le matin et ont roulé en silence jusqu'à Rennes. Au bout de la rue, le vieux Parlement de Bretagne qui abrite la cour d'appel est apparu d'un coup avec sa façade de granit et de pierre blanche. Des dizaines de cars régie de télévision hérissés d'antennes et de paraboles stationnaient autour de la place et lui faisaient comme une ceinture aux couleurs vulgaires. Des journalistes se tenaient bien droit, un micro à la main, en prenant un air grave pour parler devant les caméras, des photographes bardés d'objectifs prêts à être dégainés scrutaient avec des gueules de chasseurs féroces le ballet des voitures et les visages des passants. Guillaume s'est dit que la proie, c'était lui.

Au téléphone, il écoute la voix d'un magistrat qui s'est présenté comme le « substitut du procureur » et lui donne des instructions pour entrer au palais par un passage dérobé. Il sent sa tête bourdonner, ses jambes se dérober sous lui, son visage est devenu blanc, comme si tout son sang l'avait abandonné. Il suit le magistrat dans un dédale de couloirs jusqu'à une petite porte qui ouvre sur une large galerie, il a juste le temps d'apercevoir d'autres caméras, d'autres micros, d'autres appareils photo, il y a de la lumière et du bruit, cette fois c'est une femme qui vient vers lui, *« je suis l'huissière »*, dit-elle, elle a un sourire vraiment gentil, elle l'accompagne jusqu'à une autre salle, ses talons claquent sur le pavement, elle le fait entrer, il lui demande s'il va devoir attendre ici longtemps, elle lui répond qu'elle ne sait pas, que de toute façon, elle viendra le chercher. Il pose sur la chaise d'à côté le sac qu'il portait à l'épaule, il retire son blouson parce qu'il a chaud, puis le renfile parce qu'en fait il a froid, il sort le Rubik's Cube qu'il a pensé à emporter et il commence à jouer.

Ce matin-là, j'ai rejoint en avance le palais de justice de Rennes. Tout me paraissait plus grand, plus écrasant. L'escalier de pierre à double volée menant à l'étage, la Force et la Justice sculptées sur la porte monumentale, les dalles de granit de la salle des Pas perdus, les ciels de nuages au plafond de la cour d'assises. Je m'attachais à certains détails comme si je les voyais pour la première fois. Les deux rides en virgule épousant la courbe des sourcils de Maurice Agnelet, le sillage profond creusé par son regard inquiet de l'arête du nez au milieu du front, les lunettes à monture épaisse sur le visage d'Hervé Temime, la façon machinale qu'il a de se lisser le crâne avec le plat de la main gauche avant de saisir une mèche sur sa nuque et de l'entortiller, les trois nuances de gris des cheveux des Le Roux, cendre Catherine, neige Patricia, argent Jean-Charles.

Sur les bancs de la presse, nous nous serrons en silence les uns contre les autres. Nous savons tous que Guillaume Agnelet est arrivé. Qu'il est seul dans une pièce et qu'à la demande du président Dary, son frère cadet, Thomas, a été conduit dans une autre. Ni l'un ni l'autre ne doivent assister à la première scène qui va se jouer devant nous dans quelques minutes. La sonnerie retentit, la masse compacte du public se lève à l'annonce de l'entrée de la cour et des jurés.

Derrière le président, le grand écran s'est allumé. Un plan large sur une salle sans âme dans un tribunal de Périgueux. C'est dans cette ville qu'Anne Litas a été retrouvée et sommée de se présenter pour être interrogée. La caméra fait un gros plan sur son visage puis s'en éloigne un peu. Philippe Dary s'éclaircit la voix :

— *Madame, je vous réentends à titre de simple renseignement, ce qui ne vous dispense pas de dire la vérité.*

Il marque un temps.

— *Votre fils Guillaume nous a dit que vous lui*

aviez fait des confidences. Je suppose que vous avez pris connaissance de ses déclarations ?

— *Pas dans le détail*, répond-elle.

Le président les donne, les détails. Cantaron, la chambre à coucher, *« je vais te parler de ton père »*, le récit de la scène de crime, Monte Cassino, la route de campagne, la nuit et la balle dans la tête.

— *Je les conteste formellement et je trouve tout ça irréaliste, rocambolesque.*

— *Pourquoi ?*

— *Parce que je n'ai jamais prononcé ces phrases.*

— *Il les a inventées, selon vous ?*

— *Je le pense.*

— *Vous êtes sa mère. Vous le connaissez bien. Pourquoi votre fils ressent-il, selon vous, le besoin de dire tout cela aujourd'hui ?*

— *Je suis sa mère et je le resterai dans toutes les circonstances. Mais je suis totalement démunie face à ce genre de déclarations.*

— *Elles vous surprennent ?*

— *Mais plus que cela ! Je ne comprends pas. Je ne sais pas quoi vous dire…*

— *Votre fils s'est-il éloigné de sa famille depuis quelque temps ?*

— *Il s'est éloigné de son père, de son frère et de sa mère. Nous n'avons jamais eu de liens très étroits mais ces derniers temps, il ne veut plus me parler. Il a eu des gestes de violence à mon égard à l'occasion d'un séjour chez moi.*

— *Des gestes de violence ? Lesquels ?*

— *Il a levé la main sur moi.*

Elle précise quand même :

— *Sans me frapper. Et ensuite, il a brisé une tasse à café !*

— *Donc, il ne vous a pas frappée ?* insiste le président.

— *Non… non, mais il était violent…*

— *Il a levé la main, mais il ne vous a pas frappée*, répète Philippe Dary.

Il poursuit :

— *Les propos qu'il a tenus sont très forts. Si ce qu'il dit est vrai, est-ce que cela ne peut pas expliquer son éloignement à l'égard de sa famille ?*

— *Cet enfant est en souffrance. Et je ne pense pas que faire tant de mal à sa famille le guérira de sa souffrance…*

— *Madame !* (La voix du président est tellement impérieuse qu'elle fait sursauter les deux assesseurs qui l'entourent.) *Madame, je vois que vous avez un papier sous les yeux ! Vous lisez quelque chose !*

Il la fixe avec colère, exige de la greffière qui assiste à l'échange dans la salle du tribunal de Périgueux qu'elle retire les notes d'Anne Litas.

— *Votre témoignage doit être spontané.*

Philippe Dary répète le mot, fermement.

— *Spontané.*

Il y a de la défiance dans cette insistance. De la défiance qui s'insinue, se fraie une voie obstinée, s'étend et diffuse en chacun de nous. Anne Litas le sent, son visage est défait. Le président Dary lui rappelle que dans le dossier d'instruction, deux témoins, dont un homme qui fut son amant, ont affirmé qu'elle leur avait dit avoir reçu des *« confidences épouvantables »* de Maurice Agnelet. L'un et l'autre ont situé ces propos dans les semaines qui ont suivi la mort de son fils aîné, Jérôme. Guillaume avait lui aussi lié la scène de la chambre à coucher de Cantaron à cette période de grande détresse qu'Anne et les siens avaient traversée.

Le président s'en souvient, bien sûr, qui souligne cette concordance de dates.

— *Est-ce que cela ne fait pas écho aux déclarations de Guillaume Agnelet ?*

— *J'ai sûrement pu exprimer des choses sur cette histoire horrible. Mais je ne peux pas avoir dit cela.*

Anne Litas se redresse sur sa chaise, sa voix s'affermit.

— *Je n'aurais pas voulu avoir à le dire ici, mais Guillaume a traversé comme nous tous des périodes de grande dépression. À un moment, j'ai même cru qu'il perdait la raison. Il est devenu mystique, il s'est mis à parler de Dieu, il voulait rencontrer des prêtres…*

Est-ce la même femme qui m'avait fait si forte impression devant la cour cinq jours plus tôt et qui me fait désormais frémir ? Cette mère que je croyais forteresse, que j'avais plainte et estimée, la voilà qui distille un lent poison contre son fils. Le même que Maurice Agnelet. Elle lui ressemble, comme elle lui ressemble à cet instant-là !

Elle dit encore :

— *Le seul moyen de supprimer sa souffrance semble être de supprimer sa famille. Il met tout le monde dans le même sac, son père, son frère et moi, sa mère…*

La pratique des assises a appris à Philippe Dary à formuler ses questions de telle manière qu'elles n'expriment pas un avis trop tranché. Il prend des précautions, puise dans le conditionnel.

— *Si ce qu'il dit est la vérité, ce déséquilibre que vous évoquez ne pourrait-il pas s'expliquer par un secret qui serait devenu trop lourd à porter ?*

— *Je pense que Guillaume a d'autres problèmes. Il a une place difficile dans la fratrie, il se sent un enfant mal aimé, je n'ai certainement pas donné assez de temps à cet enfant.*

Sa voix faiblit.

— *Il avait un grand frère très intelligent et j'ai dû m'occuper beaucoup de son petit frère. Tout cela, je l'ai compris très tard…*

Philippe Dary s'exclame :

— *Mais madame, votre fils a soutenu son père à Nice et à Aix-en-Provence ! Or tout ce que vous nous dites sur Guillaume est antérieur à ces procès… Qu'est-ce qui, selon vous, a pu le conduire à se rendre spontanément devant la justice pour tenir ces propos ? Pour quelles raisons affronte-t-il ce qui va forcément être une déflagration pour lui ?*

La réponse tombe, abrupte :

— *Si je le savais, je serais psychanalyste. Je ne suis que sa mère. Je ne le comprends pas. Mais je ne pense pas que l'on puisse faire cela si l'on n'est pas en état de grand désarroi.*

— *Ou que l'on a besoin de soulager sa conscience…*, observe Philippe Dary.

Sa part d'interrogatoire est terminée, il va livrer le témoin à l'avocat de la famille Le Roux puis au représentant de l'accusation. La peur se lit dans le regard d'Anne Litas quand la caméra pivote vers Me Temime qui vient se placer à la barre pour l'interroger.

— *Guillaume va devoir s'exprimer devant vous et devant nous. Vous avez décrit un garçon violent, en déséquilibre psychique. Est-ce bien nécessaire de vous transformer en procureur de votre propre fils, madame ?*

Elle ploie, Anne Litas, sous la dureté de ces mots. Elle tente de se justifier, elle insiste sur le choix de Guillaume d'aller vivre avec son père à l'adolescence, elle parle d'elle et des épreuves qu'elle a traversées, elle semble même chercher à justifier – aux yeux de qui ? de Maurice Agnelet ? se demande-t-on – la relation intime qu'elle a entretenue avec l'un des témoins après la mort de Jérôme – « *J'étais perdue, il venait me voir, nous allions marcher ensemble…* », elle devrait émouvoir, elle ne rencontre désormais qu'hostilité.

— *Ce n'est pas de vous dont il s'agit ici, madame,*

mais de votre fils, lâche Me Temime avant de tourner les talons pour rejoindre son banc.

L'avocat général Philippe Petitprez se lève. Sa première question est à la fois subtile et cruelle.

— *Avez-vous encore peur de Maurice Agnelet aujourd'hui ?*

— *Non, non*, murmure-t-elle.

Il lui parle de Jérôme maintenant, de Jérôme et de ses mots.

— *Pourquoi votre fils écrit-il que vous êtes des assassins ?*

Anne Litas s'effondre.

— *Mon fils... mon fils Jérôme, j'ai été avec lui jusqu'à la fin... on est en train d'éplucher toute notre intimité d'une manière insupportable...*

La suite se perd dans les sanglots. Le président Philippe Dary intervient.

— *Madame, si vous avez quelque chose à dire, c'est maintenant.*

— *Quelque chose à dire sur quoi ?*

— *Je vous repose la question : avez-vous fait des confidences à votre fils Guillaume ?*

— *Jamais, jamais, jamais !* répond-elle en secouant désespérément la tête.

Le président se cale au fond de son fauteuil.

— *Madame l'huissier, faites entrer Guillaume Agnelet.*

« Moins alléchante qu'une œuvre d'art mais plus facile d'accès que la guerre, l'audience criminelle présente un avantage qui la distingue de tous les autres théâtres de la cruauté. C'est l'unique endroit où l'on peut repaître sa curiosité en la justifiant par un prétexte légitime. »

Thierry Lévy, *Éloge de la barbarie judiciaire*

Je me suis retournée pour le dévisager. Je dois tout noter, saisir l'instant, le pas affirmé ou hésitant, la pâleur ou la rougeur du teint, le regard qui affronte ou qui fuit, les doigts qui se crispent, la respiration qui se cherche, les plis du tissu qui disent la moiteur de la chair. Dans le carnet, je ne retrouve rien de tout cela. Juste en dessous de la phrase du président qui l'appelait à la barre, j'ai griffonné *« mise à mort d'un homme »*.

Je savais, nous savions tous, l'intensité destructrice de la secousse qu'il allait affronter. Il était le patient sur la chaise électrique de l'expérience de Stanley Milgram, mais les décharges étaient réelles et chacun d'entre nous, quelle que soit sa place – président, jurés, avocat général, partie civile, accusé, défense, public –, croyait avoir une bonne raison de pousser ou de laisser pousser toujours plus loin la manette.

Le président Dary prend la parole. Il demande à Guillaume Agnelet s'il confirme tout ce qu'il a dit sur procès-verbal dimanche, puis lundi devant la cour, lors de son audition par visioconférence. La voix de Guillaume ne tremble pas.

— *Oui, je le confirme. Mais je veux dire d'abord que je ne viens pas faire la guerre à ma mère, ni à mon frère. Je ne fais la guerre à personne. Je viens ici pour retranscrire ce qui est en moi depuis près de trente ans maintenant.*

— *Pourquoi avez-vous ressenti ce besoin de parler dimanche ? Pourquoi cette volte-face ?*

— *J'ai vécu un dilemme plus que cornélien. Je savais les conséquences que ça pouvait avoir. Ce dilemme ne s'est résolu pour moi qu'au pied, du pied, du pied, du pied du mur. Je l'ai ressenti, comment vous dire ça ? Dans mon corps. J'ai senti que si je ne le faisais pas là, je le regretterais toujours.*

— *Que répondez-vous à ceux qui, comme votre mère, disent qu'à un moment vous étiez proche de la folie ?*

Guillaume Agnelet hausse les épaules. Il murmure :

— Je m'y attendais.

— Votre mère vient de nous dire que vous avez eu des accès de violence contre elle.

— C'est vrai. C'était dans les années où je disais à ma famille : « Mais atterrissez ! Atterrissez ! On ne peut pas continuer comme ça ! » Où je leur demandais de ne pas faire comme si les choses qu'ils m'avaient dites n'existaient pas. Alors oui, je bousculais ma mère. J'avais besoin de parler.

Et il raconte, de la même voix calme, la scène dans le salon de Cantaron, la réponse d'Anne quand il lui demande de confirmer qu'elle lui a bien dit que Maurice avait tué Agnès Le Roux – *« C'est pas parce que je te l'ai dit que c'est une preuve ! »* – et la tasse à café qu'il lance de rage contre le mur.

— Que répondez-vous à cela, madame Litas ? dit le président.

— Dans mon souvenir, la conversation que nous avons eue n'était pas celle-là. Ce qui est vrai, c'est que tous les jours, il se levait à 4 heures ou à 5 heures du matin et qu'il venait me harceler. Il avait des discussions sur tout et n'importe quoi. J'étais constamment acculée…

Retour à Guillaume Agnelet.

— Comment réagissez-vous au fait que votre mère dément vous avoir fait des confidences ?

— Chacun se protège comme il peut.

Le président lui demande une nouvelle fois s'il confirme ses deux autres souvenirs, à Paris rue de l'Ouest et à l'aéroport de Genève. Ainsi vont les débats devant la cour d'assises. Répéter, répéter encore, comme on taperait indéfiniment le même petit pan de mur pour éprouver sa résistance, le son qu'il rend, plus ou moins clair, plus ou moins fort.

— *Je confirme*, dit Guillaume Agnelet.

Philippe Dary se tourne vers le box.

— *Maurice Agnelet, levez-vous.*

Guillaume s'est tourné lui aussi. Il fixe son père qui le fixe à son tour. Il s'y était préparé, il s'était demandé s'il en aurait la force. Il l'a. Le président intervient. « *Je préfère que vous ne regardiez pas votre père* », lui dit-il.

— *Qu'avez-vous à dire, Maurice Agnelet ?*

— *Tout cela est invraisemblable. C'est avec moi que ce garçon a vécu le plus longtemps. C'est lui qui m'a le plus soutenu. Je partage l'avis de sa mère. Ce garçon est en souffrance.*

Le président :

— *La question est de savoir pourquoi il est en souffrance.*

Maurice Agnelet rit. Murmure des phrases incompréhensibles. « *Il a voulu rencontrer le pape ! Oui, oui, le pape ! Il avait un langage de compassion, et tout ça, il disait des choses…* »

Il rit encore. La voix de Guillaume l'interrompt.

— *Je suis en effet de ceux qui ont vécu le plus longtemps avec lui. Je l'ai soutenu, j'ai eu tort. C'est vrai aussi qu'à un moment, je me suis tourné vers la religion, je cherchais de l'aide de tous les côtés...*

Le micro renvoie l'écho d'un long soupir.

— *Je m'attendais à ce qu'il réagisse comme ça aujourd'hui, enfin je m'y attendais un peu, pas autant...*

— *Même qu'il m'a boxé ! Il m'a boxé !* crie soudain Maurice Agnelet.

— *Je confirme, je l'ai boxé.*

Il semble la revivre devant nous, intacte, cette heure de tumulte où il a supplié son père de quitter pendant quelques jours la maison de Chambéry parce qu'il avait besoin de se reconstruire après l'acquittement de Nice et la perspective de tout avoir à recommencer pour le procès en appel. Il imite la voix de Maurice Agnelet lui refusant cette faveur parce que chez lui à Chambéry, il avait la *« ligne Internet »*.

— *Sa ligne Internet ! Ma vie comparée à une ligne Internet !* s'écrie Guillaume. Ses deux mains s'agrippent à la barre, il lutte contre les sanglots qui l'envahissent, reprend son souffle, relève la tête et dit, bien droit face à la cour :

— *Alors oui, je l'ai boxé, oui.*

La parole est à Me Hervé Temime.

— *Est-ce que, aujourd'hui, vous brisez un secret de famille ?*

— *Oui. J'ai cru qu'avec le temps, ils atterriraient. Que l'on pourrait se retrouver un jour pour parler de notre guerre. Mais pas pour la nier. La vérité pouvait être un ciment entre nous, elle ne l'a pas été. Ce que je sais maintenant, c'est que le secret tue plus que la vérité.*

Il a dit ça d'un coup, *« le secret tue plus que la vérité »*, et le temps s'est arrêté. Ce n'est plus un procès, ce n'est plus un prétoire, c'est un champ de ruines. Où que l'on regarde autour de Maurice Agnelet, tout est chaos.

François Saint-Pierre a quitté son banc. Il est venu se placer à quelques pas de Guillaume Agnelet. Ils se fixent en silence, aussi bouleversés l'un que l'autre. Pendant une fraction de seconde, ils sont seuls dans cette cour d'assises, yeux dans les yeux, statufiés par la gravité de cette confrontation. Guillaume face à l'avocat qui se bat pour l'acquittement de son père, François Saint-Pierre qui s'apprête à interroger le plus terrible accusateur de celui qu'il défend.

— *Guillaume…* (Un temps) *Guillaume Agnelet. Je crois qu'il faut que nous ayons un échange ici et maintenant. Nous avons mené ensemble un long combat judiciaire. Est-ce que vous vous souvenez du geste que vous avez eu pour moi avant que je plaide pour votre père, à Nice ?*

Guillaume sourit. C'est la première fois que l'on voit son visage s'éclairer.

— *Oui, une fraise Tagada. Je vous ai donné une fraise Tagada, comme un talisman, un grigri, une sorte de porte-bonheur. Pour vous encourager à faire pencher la balance dans le sens que j'espérais à l'époque.*

L'échine de François Saint-Pierre semble se creuser et s'assouplir comme celle d'un chat sous la caresse. Avec ces mots, Guillaume vient de le sauver. Il y a dans ce souvenir commun, dans la reconnaissance de cette complicité passée, l'espace d'une défense funambule entre le respect de la vérité d'un fils meurtri et le droit au doute que le père accusé demande à son avocat de porter. La poignée de questions que Saint-Pierre pose à Guillaume Agnelet n'a qu'un seul but, maintenir ce fil fragile sur lequel, lui, le défenseur, continuera d'avancer. Guillaume le lui accorde, il ne dévie pas de son cadre, il fait sa déposition. Deux feuillets, pas plus. Il tait le rendez-vous à Lyon chez l'avocat, les phrases hurlées au téléphone – *« Il l'a butée, la fille ! Il l'a butée ! »*. Il répond seulement aux questions que François Saint-Pierre lui pose. Oui, hier, il était à ses côtés pour soutenir son père. Oui, il l'accable aujourd'hui. Il ne cherche pas à se justifier, pas davantage à convaincre, il se contente de témoigner. Ce n'est que sa parole, à chacun – accusation, défense, cour et jurés – de la démêler.

L'avocat vient se rasseoir sur son banc. Le président Dary appuie sur le bouton rouge qui allume son micro. Sa voix gifle la cour d'assises.

— *Faites entrer Thomas Agnelet.*

D'un bond, Me Hervé Temime se précipite vers son confrère de la défense et échange quelques mots avec lui. Jamais je n'ai assisté à une scène pareille. Les deux adversaires en robe noire se parlent à voix basse sous nos yeux, ou plutôt c'est Temime qui parle à Saint-Pierre et Saint-Pierre qui approuve. Ils semblent aussi secoués l'un que l'autre. L'avocat de la famille Le Roux se tourne ensuite vers le président et, d'une voix blême, il exprime à cet instant ce que chacun ressent. Le trop-plein. Les limites qu'il ne faut pas franchir entre la nécessaire recherche de la vérité, la violence légale qui relève du procès, et l'exposition devenue obscène des déchirements d'une famille, avec l'affrontement annoncé de ces deux frères face à leur mère et sous le regard de leur père.

— *Je vous demande de renoncer à cette confrontation entre Thomas et Guillaume Agnelet. Je ne crois plus qu'elle soit nécessaire. Chacun pèsera, en conscience, les déclarations qui ont été faites et fera sa conviction.*

François Saint-Pierre prend à son tour la parole. Il salue la « *délicatesse* » de Temime et déclare :

— *Je n'ai pas de questions à poser à Thomas Agnelet. Je vous laisse apprécier la nécessité de cette confrontation entre deux frères devant tout le monde.*

Philippe Dary suspend l'audience. Il a besoin

de souffler et de réfléchir lui aussi. Quinze minutes plus tard, sa décision est prise. Il maintient sa demande de confrontation. À la place qui est la sienne, il a le devoir de ne pas se laisser envahir par le flot d'émotion qui submerge la cour et de s'en tenir à la stricte règle selon laquelle tout doit pouvoir être dit et contredit dans la salle d'audience.

À cet instant où les deux frères venus de deux pièces différentes, séparés l'un de l'autre par des gardes, entrent dans la salle, Thomas devant, Guillaume derrière, on ne sait ce qui l'emporte, de l'effroi devant la violence qui leur est imposée ou de la fascination trouble qu'elle suscite.

Le président s'adresse au cadet. Et encore une fois, il évoque Genève, l'aéroport, cette scène que chacun connaît désormais par cœur. Thomas Agnelet a une étrange formule.

— *Je ne m'en souviens pas. Pour moi, ça n'a pas existé.*

Guillaume Agnelet s'avance à son tour à la barre. Son visage est baigné de larmes.

— *Il ne s'en souvient pas. Tant mieux pour lui. J'aimerais être à sa place.*

Il répète :

— *Je ne suis pas venu pour faire la guerre. Ces informations, je n'ai jamais demandé à ce qu'elles arrivent jusqu'à moi. Le fait de les retransmettre aujourd'hui, ici, je sais que c'est important pour la famille d'Agnès Le Roux. J'espère qu'elles leur permettront de faire le deuil.*

Sur l'écran apparaît toujours le visage immobile d'Anne Litas. Le président lui demande si elle a quelque chose à ajouter. D'un même mouvement, ses deux fils se redressent, tendus comme des arcs, lèvres entrouvertes, l'aîné devant, le cadet derrière. Elle murmure dans le micro :

— *Non, non.*

C'est fini. L'écran s'éteint, les deux frères quittent la salle, toujours séparés par des gardes, en longeant les bancs du public. Guillaume a juste le temps d'apercevoir, assise au fond, une jeune fille aux yeux rougis qui s'efforce de lui sourire.

Il était déjà loin de Rennes lorsqu'il a vu s'afficher parmi ses messages un courriel d'Anne Litas. « *Adieu* », disait le titre. Et juste en dessous : « *Tu vas pouvoir dormir avec la mort de ta mère sur la conscience.* »

Guillaume compose le numéro d'Anne. Le téléphone sonne dans le vide. Il s'affole. Appelle Saint-Pierre, tombe sur son répondeur. Il décide alors de joindre le procureur qui l'a accueilli à Rennes et lui transmet le courriel de sa mère. Dans la salle de la cour d'assises, où l'audience se poursuit dans l'atonie qui suit la tempête, on voit soudain la greffière quitter sa place et s'avancer d'un pas rapide jusqu'à la tribune de la cour pour tendre un papier au président.

D'une voix blanche, Philippe Dary interrompt les débats pour donner lecture du message qu'il vient de recevoir. Une clameur effarée s'élève des bancs, le regard impérieux du président la fait aussitôt taire. Il précise que des recherches de gendarmerie sont lancées pour retrouver Anne Litas.

— *Maurice Agnelet…*

Philippe Dary ne lui laisse pas le temps de se lever.

— *Maurice Agnelet, avez-vous tué Agnès Le Roux ?*

— *Non ! Non, je ne l'ai pas tuée…*

Maurice Agnelet éclate en sanglots. Quelques heures plus tard, le président annonce qu'Anne Litas a été accueillie chez des amis à Périgueux. Elle *« se repose »*, sa vie n'est pas en danger.

Ce soir-là, je suis rentrée à l'hôtel et j'ai écrit le récit de l'audience, arrimée aux phrases du carnet. Je tremblais.

Il tourne et retourne dans le prétoire, mains dans le dos, tête baissée, en remuant les lèvres, répétant pour lui seul les mots que, dans quelques minutes, il va jeter à la cour et aux jurés. L'avocat général Philippe Petitprez vient de requérir contre son client, Maurice Agnelet, vingt ans de réclusion criminelle pour l'assassinat d'Agnès Le Roux. « *La parole est à la défense* », dit le président Dary.

François Saint-Pierre dévisage un à un ceux qui, depuis quatre semaines, partagent les heures étouffantes de ce procès. Ni l'éclat des dorures du vieux Parlement de Rennes, ni la lumière chaude qui baigne la salle de la cour d'assises en ce début d'après-midi, jeudi 10 avril, n'ont effacé la noirceur et la violence des derniers moments. Et c'est là, dans cette fournaise d'émotions, que l'avocat vient les chercher. À ces hommes et à ces femmes, magistrats professionnels et citoyens jurés, Me Saint-Pierre dit d'abord que lui non plus ne sort pas indemne de ce procès.

— *Je connais Maurice Agnelet depuis 1988. Je l'ai défendu à tous ses procès. Mais ici, j'ai encore appris. J'ai subi de nouvelles émotions. J'ai éprouvé de nouveaux doutes sur l'homme que je défends. Lundi matin, quand le président a lu la déposition de Guillaume Agnelet, j'ai vacillé. Je ne m'y attendais pas du tout. J'ai vécu les deux premiers procès aux côtés de Guillaume et Thomas. Nous avons partagé le soulagement de l'acquittement à Nice, puis l'immense déception de la condamnation à Aix-en-Provence. J'ai un cœur, j'ai une conscience. Alors oui, quand j'ai entendu Guillaume expliquer qu'il avait été le confident de son père et de sa mère, j'ai douté, c'est vrai. Je le connais depuis longtemps. Comprenez mon désarroi, à ce moment-là*, leur lance-t-il.

Me Saint-Pierre s'approche alors au plus près des braises, face à cette scène de crime que, selon Guillaume, sa mère lui a racontée. *« Je ne peux pas imaginer que cette femme charge son fils d'un tel fardeau pour la vie »*, dit-il. Puis il l'affronte, cette scène, image après image, pour mieux la combattre. Maurice Agnelet tirant une balle dans la tête d'Agnès Le Roux – *« une balle, pardon, mais ça fait saigner »* –, abandonnant le corps dénudé dans un sous-bois, roulant jusqu'à une gare de la frontière italienne *« où, à l'époque, il y a plus de gardes que de clandestins »* pour se débarrasser de la voiture sur un parking, avec les clés sur le contact. *« C'est prendre beaucoup de risques, tout de même !* » observe-t-il. Il n'imagine pas non plus celui qu'il défend commettre un meurtre de sang-froid, *« parce qu'il est lâche, Maurice Agnelet, parce qu'il biaise, parce qu'il est fourbe »*.

Mais il y a Guillaume, la douleur et la détermination de Guillaume, qui pèsent si lourd dans la conscience de la cour et des jurés. Et de l'autre côté, il y a Thomas, le fragile et silencieux Thomas, assis au premier rang du public.

— *Guillaume a en lui une colère inextinguible et on le comprend. Cet homme, Maurice Agnelet, a fait vivre le martyre à ses fils en les embarquant dans cette affaire. Ils ont choisi leur chemin. Thomas défendra toujours son père, c'est sa fierté. Guillaume, lui, a choisi de rompre. Ce que dit Guillaume est bien évidemment sincère, mais cela ne peut valoir preuve criminelle.*

Le plus gros obstacle de la défense reste à franchir. François Saint-Pierre s'approche du box et, de la main, désigne Maurice Agnelet.

— *Dans ce dossier, nous n'avons pas de scène de crime, nous n'avons pas de preuve criminelle, mais nous avons Maurice Agnelet !*

Dans les mots durs avec lesquels il s'adresse à lui percent la colère, le dépit de l'avocat qui a vu son client lui échapper pour émerger *« comme un diable de sa boîte, alignant les blagues de mauvais goût, provoquant une tension permanente »*.

La voix de Me Saint-Pierre enfle et gronde. Collé au box, il apostrophe Maurice Agnelet :

— Pourquoi êtes-vous incapable de parler aux gens ? Pourquoi n'avez-vous pas adressé vos excuses à Jean-Charles Le Roux que vous avez baladé ? Et quand Guillaume est venu, pourquoi n'avez-vous pas été capable de lui dire que vous l'aimez ? Cet homme est prisonnier de ses fantômes. Il est son pire ennemi. Il attire les soupçons comme l'aimant le fer. Mais est-ce que son rire, sa haine sont une preuve criminelle ?

Revenu face à la cour et aux jurés, François retrouve alors le registre qui lui est familier. *« Parlons raison, maintenant ! »* Il évoque cette condamnation à vingt ans de réclusion criminelle prononcée par la cour d'appel des Bouches-du-Rhône, qu'il n'a *« jamais acceptée »*, et explique le long combat mené jusqu'à la Cour européenne des droits de l'homme qui a condamné la France.

— Dans toutes les erreurs judiciaires, les juges qui ont condamné étaient absolument convaincus de la culpabilité. Mais il manquait la preuve. C'est cela qui distingue un accusé d'un coupable. Dans ce dossier, tout n'est qu'hypothèses. Et une addition d'hypothèses, c'est toujours des hypothèses. S'il manque la preuve, vous devez acquitter Maurice Agnelet.

Sur la place du palais de justice de Rennes, les forains achèvent de monter leur chapiteau. Un pan mal arrimé de la toile de tente jaune et bleue faseye dans la brise matinale. Ce soir, des enfants crieront de joie et de terreur devant les facéties d'un Auguste au nez rouge et les rugissements d'un vieux lion fatigué. La façade orgueilleuse du Parlement de Bretagne fera décor aux familles en goguette et aux étudiants en fête. Aux terrasses alentour, on retardera l'heure du dernier verre en boutonnant haut les vestes.

Un fourgon longe la rue Hoche, tourne à gauche dans la rue Salomon-de-Brosse à l'arrière du palais de justice et s'arrête devant une porte épaisse à deux vantaux de couleur grise. La main gantée de noir d'un gendarme agrippe le bras de Maurice Agnelet, dérobant à la vue des curieux la chaîne des menottes qui les lie l'un à l'autre. Les deux hommes s'engouffrent dans une galerie sombre qu'éclaire un méchant néon. Ce vendredi matin 11 avril, Maurice Agnelet emprunte pour la dernière fois les couloirs qui le mènent à la cour d'assises. La veille, le président Dary a suspendu l'audience juste après la plaidoirie de François Saint-Pierre. Il a tenu à laisser les jurés se reposer avant d'affronter le moment où ces cinq femmes et ces quatre hommes que le tirage au sort a arrachés à leur vie quotidienne vont entrer pleinement dans leur devoir de juges.

De l'autre côté du palais, au pied des marches de l'entrée principale, une longue file d'attente s'est formée. Le public patiente en observant le ballet des caméras de télévision, filmant l'arrivée de Catherine, Patricia et Jean-Charles Le Roux, accompagnés de leurs deux avocats, et celle, solitaire, de François Saint-Pierre. La tension des derniers jours a marqué les visages et fatigué les démarches. Chacun regagne sa place, la même depuis quatre semaines. L'huissière a soigné son brushing, ses cheveux laqués forment une drôle de carapace et ajoutent à l'autorité avec laquelle elle ordonne au public de s'asseoir en silence. Dans le box, Maurice Agnelet a retrouvé cet air absent, un peu perdu, qu'on lui avait vu au premier jour du procès.

Le président Dary se tourne vers lui et prononce la phrase rituelle :

— *Maurice Agnelet, avez-vous quelque chose à ajouter ?*

Ce moment qui marque la fin de chaque procès est toujours étrange, à la fois solennel et faux. Il y a eu tant de mots avant ceux-là, les derniers, que l'on accorde à l'accusé ! S'il répond *« non »*, on lui en veut comme on reprocherait à un acteur de frustrer son public d'une ultime repartie. S'il parle longuement, on se lasse. S'il dit peu, ou mal, on le juge indifférent. S'il s'exprime trop bien, on l'accuse d'artifice.

La voix de Maurice Agnelet s'élève dans la salle d'audience. Tous les regards convergent vers lui, sauf un, celui de son avocat, assis au pied du box, le visage posé sur ses mains jointes.

— *Je voudrais commencer par demander pardon à la famille Le Roux, à Renée Le Roux, à Catherine, Patricia et à Jean-Charles, le frère bien-aimé d'Agnès, pour le mal que je leur ai fait par mes propos, par mes attitudes depuis la disparition* – il s'interrompt – *incroyable et* – il s'interrompt encore, cherche le mot – *dramatique d'Agnès. Parce qu'elle dure. Et je voudrais dire aussi la conviction que j'ai eue pendant ces quatre semaines que je m'étais mal occupé de mes enfants. C'est le regret le plus important pour moi. Je me suis rendu compte que j'avais gâché leur vie et celle de leur mère. Que je les avais perturbés. Et cela parce que j'étais obnubilé, hypnotisé par cette disparition d'Agnès Le Roux. Mon fils aîné est mort. Mon autre fils, Thomas, a fui pour aller vivre en Nouvelle-Calédonie. Guillaume est totalement bouleversé et bouleversant. J'espère pour lui que cela lui a apporté quiétude et calme intérieur. Sur le fond de l'affaire, tout a été dit. C'était juste ce pardon que je voulais exprimer aux deux familles.*

On attend la phrase que Maurice Agnelet a prononcée à chacun de ses procès. Qu'il a encore répétée à l'ouverture de celui-ci, quatre semaines plus tôt. *« Je n'ai pas tué Agnès Le Roux. »* Elle ne vient pas. Il dit que Guillaume a été *« bouleversant »*, il ne dit pas s'il ment ou s'il dit vrai. Il demande pardon. Mais il ne précise pas de quoi. La cour et les jurés entrent avec cette ultime énigme dans la salle des délibérés.

Sept heures et demie plus tard, le président Philippe Dary annonce qu' *« à la majorité de huit voix au moins »*, la cour et les jurés ont jugé que Maurice Agnelet était un assassin.

« Ce que le père a tu, le fils le proclame. »
Nietzsche,
Ainsi parlait Zarathoustra

Guillaume Agnelet éteint l'écran d'ordinateur auquel il est suspendu depuis des heures. Son fils de 2 ans trépigne. Il le hisse sur ses épaules et se dirige vers le jardin public. *« Plus vite »* dit l'enfant en apercevant le toboggan.

Petit, Guillaume adorait ça, se promener sur les épaules de Maurice. Il fait pareil aujourd'hui avec son fils. Sur la liste des bons souvenirs que son père lui a laissés, c'est celui qui remonte en premier, les épaules de Maurice. Après viennent les fêtes de la Saint-Jean chaque été à Cantaron, les parties de chat perché sur le toit-terrasse de l'appartement cours Saleya à Nice, le camping-car bricolé avec lequel ils sont partis en famille à la neige, la cloche rapportée d'Espagne qui battait le rappel à l'heure des repas, la télévision couleur avec télécommande à ultrasons qui épatait ses copains de classe, le film *Peter et Elliott le dragon* qu'il est allé voir avec Maurice dans une salle de cinéma presque vide, le grand livre sur les volcans et l'autre sur les serpents qu'il lui a offerts, le déjeuner hebdomadaire à la cafétéria de l'hypermarché de Villeneuve-Loubet, la visite de New York en voiture, celle des chutes du Niagara, la Chrysler à boîte automatique avec laquelle son père est venu le chercher à l'aéroport au Canada et aussi le pique-nique annuel au plateau de la Malle sur les hauteurs de Grasse, dans le froid piquant de décembre, avec Maurice en chef de clan, aidant ses fils à grimper au sommet des pins et des sorbiers pour détacher les buissons de gui avec interdiction de s'arrêter tant que le coffre de la voiture n'était pas plein jusqu'à la gueule. Car c'était la tradition et il y tenait beaucoup, Maurice, à la tradition d'offrir à chacun de ses amis ces boules dont les fruits collaient aux mains des enfants, et dont il leur répétait chaque année avec solennité qu'elles portaient bonheur.

Arrêt de la cour d'assises d'Ille-et-Vilaine, prononcé au palais de justice de Rennes le 11 avril 2014 :

« *La cour d'assises a été convaincue de la culpabilité de Maurice Agnelet pour le crime d'assassinat d'Agnès Le Roux, entre le 26 octobre et le 2 novembre 1977, à Nice (Alpes-Maritimes), à Cassino province de Frosinone (Italie), en raison des éléments suivants :*

Agnès Le Roux, avec l'assistance de l'accusé Maurice Agnelet, son amant agissant en qualité d'avocat, a perçu de Jean-Dominique Fratoni, en mai et en juillet 1977, une somme de trois millions de francs en contrepartie de son vote lors de l'assemblée générale de la S.A. du Palais de la Méditerranée, le 30 juin 1977. L'essentiel de cette somme a été placé en partie sur des comptes communs ouverts en Suisse par elle-même et l'accusé, une autre partie étant convertie en bons anonymes par ce dernier ;

Entre le 11 août et le 3 février 1978, Maurice

Agnelet a détourné ces fonds à son profit en les transférant sur un compte personnel en Suisse auquel Agnès Le Roux n'avait pas accès ; il a fourni des explications contradictoires, et dénuées de toute crédibilité, sur la nature des opérations réalisées, évoquant un don puis un séquestre – en produisant un faux contrat au cours de l'instruction – puis à nouveau un don et en affirmant enfin que c'est Agnès Le Roux qui lui avait demandé de regrouper les fonds sur son propre compte afin qu'elle n'apparaisse pas comme la propriétaire aux yeux de sa mère et de Fratoni, tout en affirmant que l'argent devait être dépensé ensemble par Agnès et lui. Il a été condamné définitivement par la cour d'appel de Lyon en 1986 pour ces faits des chefs de complicité d'achat de vote, recel et abus de confiance ;

C'est au cours de cette période qu'Agnès Le Roux a disparu, entre le 26 octobre et le 2 novembre 1977. Les éléments recueillis pendant l'enquête et l'instruction, ainsi qu'à l'audience, permettent d'affirmer que le dernier jour où elle a eu un contact certain avec des tiers est bien le 26 octobre 1977 [...].

Quelques semaines auparavant, les 4 et 7 octobre 1977, Agnès Le Roux avait commis deux tentatives de suicide. Le comportement de Maurice Agnelet à ces occasions apparaît particulièrement suspect, faisant preuve d'un détachement apparent incompatible avec la nature des sentiments qu'il disait porter à Agnès Le Roux.

S'agissant des faits du 4 octobre, il a réagi

tardivement à l'appel d'une vendeuse du magasin AH [appartenant à Agnès Le Roux], *à laquelle il a répondu d'abord qu'il ne se sentait pas concerné, ne s'agissant que d'une cliente. Il a fini néanmoins par prévenir les services de police en fournissant, singulièrement, une fausse adresse pour le domicile d'Agnès Le Roux. Il a fait sortir Agnès Le Roux de l'hôpital le 5 octobre, moyennant signature d'une décharge, puis la laissant seule à son domicile, ce qui a inquiété tant sa famille que la police. En effet, il a indiqué au commissaire Albertin qu'il n'était qu'un intermédiaire et un petit avocat. Sa voisine de chambre à l'hôpital a déclaré qu'Agnès Le Roux s'était plainte qu'on l'avait poussée et qu'on avait voulu la forcer à prendre quelque chose. Elle a ajouté avoir assisté à une discussion vive dans l'après-midi entre Maurice Agnelet et Agnès Le Roux.*

En ce qui concerne la deuxième tentative de suicide dans la nuit du 6 au 7 octobre, Maurice Agnelet a appelé le 17 en prenant soin d'enregistrer la communication et en donnant à nouveau aux policiers une adresse inexacte. Il a en outre omis de les informer qu'il détenait les clés de l'appartement d'Agnès. Il a indiqué au médecin, dans une communication téléphonique également enregistrée, qu'Agnès Le Roux avait pris du Seresta [un anxiolytique] *alors même qu'aucun emballage ou trace de ce médicament n'a été retrouvée à son domicile. Il apparaît par ailleurs qu'Agnès Le Roux présentait une entaille au poignet droit qu'elle a, par la suite, semblé ne pas comprendre, ce qui l'a amenée ultérieurement à écrire à Maurice Agnelet qu'il serait nécessaire d'avoir une explication à ce propos, sauf s'il fallait pour une raison quelconque la laisser dans l'ombre.*

Postérieurement à ses tentatives de suicide, Agnès Le Roux a, au cours du mois d'octobre 1977, préparé un voyage en faisant réparer sa Range Rover, en achetant de nouvelles lunettes, en faisant assurer son véhicule à compter du 26 octobre 1977, en évoquant ce voyage auprès de ses proches et en allant chez le coiffeur. L'enregistrement, saisi chez Maurice Agnelet, d'une conversation téléphonique avec Agnès Le Roux ayant eu lieu le 17 octobre 1977, permet d'affirmer que ce projet de voyage était commun avec l'accusé ;

Et c'est le 26 octobre 1977 que Maurice Agnelet a retiré seul de son coffre à la BCI la somme de un million de francs en bons anonymes, rien ne permettant d'affirmer que cette somme a été remise à la jeune femme, alors que l'essentiel de ces fonds a été retrouvé sur le compte en Suisse de Maurice Agnelet.

Entre le 26 octobre et le 2 novembre 1977, Maurice Agnelet a prétendu être parti le 27 octobre dans la soirée, en compagnie de Françoise Lausseure, en direction de Genève où ils auraient passé la nuit à l'hôtel de la Paix ; le 28 dans l'après-midi, ils seraient repartis en raison du mauvais temps et de la maladie d'un des enfants de Françoise Lausseure ; celle-ci aurait déposé Maurice Agnelet à la gare de Lyon-Perrache dans la nuit du 28 au 29 octobre où il aurait pris un train de nuit pour se rendre à Paris au congrès de la Ligue des droits de l'homme ; il aurait passé la nuit du 29 au 30 octobre à l'hôtel Marigny puis serait rentré le dimanche matin par avion à Nice où Françoise Lausseure l'attendait à l'aéroport ; il aurait repris sa voiture pour se rendre chez son ex-épouse, Anne Litas, à Cantaron finir le week-end de la Toussaint.

Françoise Lausseure avait confirmé en 1979 avoir accompagné son amant, Maurice Agnelet, à Genève, mais s'est rétractée en 1999, indiquant lui avoir fourni un faux alibi à sa demande.

Françoise Lausseure a précisé que Maurice Agnelet lui avait demandé cet alibi dès novembre 1978, à un moment où, pourtant, il n'en avait pas besoin, n'ayant pas encore été interrogé sur son emploi du temps du week-end de la Toussaint. Elle a indiqué que rétrospectivement, cette demande lui avait fait "froid dans le dos" [...].

La présence de Maurice Agnelet à l'assemblée générale de la Ligue des droits de l'homme n'a été confirmée par personne. Au surplus, les conditions d'obtention, rapportées par le fils du gérant de l'hôtel Marigny, et du versement à la procédure du duplicata de cet hôtel, ne permettent pas d'accorder à cette pièce une quelconque valeur probante. Quant à sa présence à la villa de Cantaron à compter du 30 octobre 1977, elle n'est attestée par aucune des personnes présentes.

Or, à compter du 2 novembre 1977 et dans les

mois qui ont suivi, Maurice Agnelet s'est comporté comme s'il avait la certitude qu'Agnès Le Roux ne réapparaîtrait pas, en adoptant une attitude paradoxale.

Ainsi, alors qu'il a toujours déclaré être épris de la jeune femme, il n'a manifesté aucune inquiétude et n'a tenté à aucun moment de la joindre par téléphone et ce, en dépit du fait qu'elle devait participer à un conseil d'administration du Palais de la Méditerranée le 4 novembre 1977.

Il a également fourni aux membres de la famille et aux proches d'Agnès Le Roux des versions contradictoires sur sa disparition, évoquant des voyages en différents endroits du globe et laissant espérer à son frère Jean-Charles Le Roux, ainsi qu'il résulte de l'enregistrement d'une conversation téléphonique en mars 1978, que son absence s'expliquait parfaitement.

Il a agi de même avec les enquêteurs auxquels il a menti, retardant ainsi les recherches entreprises.

Concomitamment, il a résilié en janvier 1978 l'assurance de l'appartement loué par Agnès Le Roux et il a laissé aller à son terme la procédure de résiliation du bail et d'expulsion qu'il avait financièrement le moyen d'empêcher avec les fonds d'Agnès Le Roux dont il disposait.

Lors de la perquisition, en mars 1978, au domicile d'Agnès Le Roux, il a été découvert un document manuscrit, non daté, punaisé en évidence sur la table à dessin, sur lequel était écrit, de la main d'Agnès Le

Roux : "Désolée, mon chemin est fini, je m'arrête, tout est bien, je veux que ce soit Maurice qui s'occupe de tout", visant à accréditer la thèse d'un suicide. Or, lors de la perquisition au cabinet de Maurice Agnelet en septembre 1978, une photocopie de ce document a été trouvée, également sans date, provoquant alors la déstabilisation psychologique de l'accusé, clairement perçue par les enquêteurs et par le juge d'instruction. Au surplus, dans l'enregistrement de la conversation du 7 octobre 1977 entre Nicole D. [une amie d'Agnès Le Roux] *et Maurice Agnelet, ce dernier lui avait déclaré avoir trouvé le mot le matin même au domicile d'Agnès Le Roux, précisant que cet écrit était daté du 6 octobre 1977. À l'audience, il a fini par admettre s'être rendu chez Agnès Le Roux dans la nuit du 6 au 7 octobre 1977, où il a trouvé ce mot. Il apparaît donc que le mot découvert en mars 1978 a volontairement été amputé de sa date par l'accusé et utilisé par lui pour faire croire au suicide de sa maîtresse. L'explication selon laquelle il prétend l'avoir restitué à Agnès Le Roux, qui l'aurait alors elle-même amputé de sa date, est dénuée de toute crédibilité.*

Au cours de cette même perquisition à son cabinet, ont été découverts de nombreux documents appartenant à Agnès Le Roux, dont le reçu d'assurance de sa Range Rover, daté du 26 octobre 1977, et certains de nature très personnelle, au rang desquels son journal intime et son dossier médical, dont il est exclu de penser qu'ils ont été apportés volontairement par Agnès Le Roux avant un voyage qualifié, selon les termes mêmes de l'accusé, "d'ordinaire, banal et sans importance".

A été également découverte la chaîne hi-fi récemment acquise par Agnès Le Roux, dont Maurice Agnelet a prétendu dans un premier temps qu'il s'agissait d'un simple dépôt le temps du voyage pour soutenir ensuite qu'Agnès Le Roux l'avait apportée par crainte d'un cambriolage. Cette contradiction ne permet pas de donner foi aux explications de l'accusé.

En outre, ont été découverts au domicile familial de Cantaron cinq livres de la collection la Pléiade appartenant à Maurice Agnelet et portant les inscriptions suivantes :

– Sur l'ouvrage de Montaigne, "17 mai 1977-Genève-PM-PV-Amitiés"

– Sur l'ouvrage d'André Gide, "30 juin 1977-Sécurité-PM-PV"

– Sur l'ouvrage de Rimbaud, "7 octobre 1977-Le Bateau ivre-Classement dossiers PM-PV"

– Sur les deux ouvrages d'Hemingway, "Mercredi 2 novembre 1977-Reclassement dossier-PM-PV-Liberté"

Elles résument de façon claire le processus d'appropriation de l'argent versé par Jean-Dominique Fratoni à Agnès Le Roux pour l'achat de son vote lors de l'assemblée générale du 30 juin 1977 et la disparition de la jeune femme. Plus particulièrement, le mot "Liberté" associé à la date du 2 novembre 1977 évoque de manière évidente dans ce contexte la mort de la jeune femme. En 1984, devant le tribunal correctionnel d'Aix-en-Provence [qui le jugeait pour complicité d'achat de vote, recel et abus de confiance], *Maurice Agnelet a d'ailleurs déclaré qu'il n'avait jamais touché à l'argent d'Agnès "après sa mort", prétendant toutefois qu'il s'agissait d'un lapsus.*

Sur procès-verbal du 6 avril 2014, puis à deux reprises à l'audience, Guillaume Agnelet, fils de l'accusé, a déclaré :

d'une part que son père lui avait révélé, alors qu'il était âgé de 15 ans, qu'il savait où se trouvait le corps d'Agnès Le Roux ;

d'autre part que sa mère, Anne Litas, lui avait confié au début des années 1990 que Maurice Agnelet était l'assassin d'Agnès Le Roux, décrivant les circonstances du crime en indiquant qu'Agnès Le Roux et lui étaient partis en voyage dans la région de Monte Cassino, qu'ils avaient fait du camping sauvage dans un coin isolé comme il les affectionne et que, pendant son sommeil, il lui avait tiré dessus avec une arme à feu ; qu'il avait ensuite appelé au secours pour s'assurer qu'il n'y avait personne ; dans le cas où quelqu'un se serait manifesté, il aurait expliqué qu'il s'agissait d'un suicide ; qu'il s'était ensuite débarrassé du corps en le déplaçant sur une centaine de mètres et en le déposant dénudé dans un sous-bois au bord de la route avant de jeter l'arme démontée dans un cours d'eau depuis un pont ; qu'il avait ensuite repris la Range Rover pour la laisser, les clés sur le contact, sur le parking d'une gare, puis qu'il était rentré à Nice ;

Enfin, alors qu'avec son frère Thomas il était allé chercher à l'aéroport de Genève-Cointrin son père qui rentrait du Panamá, ils avaient eu une discussion dans un bar de cet aéroport, au cours de laquelle Maurice Agnelet évoquait les risques de retrouver un corps abandonné dans la nature à même le sol, en considération des phénomènes de décomposition. Profitant d'une absence momentanée de Thomas, Guillaume Agnelet avait demandé à son père s'il se rendait compte qu'il était en train d'avouer l'assassinat d'Agnès Le Roux, s'inquiétant de savoir ce que Thomas aurait pu en comprendre. Maurice Agnelet a alors répliqué que Thomas était intelligent et qu'il avait déjà compris.

Ces déclarations circonstanciées sont corroborées par :

– le témoignage de Mireille M. [ex-associée de Maurice Agnelet] *qui a déclaré avoir reçu des confidences de Paul-Félix Richard selon lesquelles Anne Litas lui avait confié qu'Agnès Le Roux ne reviendrait jamais ; Paul-Félix Richard a confirmé la réalité de cette confidence* [...] *; le témoignage de Françoise Lausseure qui a déclaré avoir reçu d'Anne Litas, au début des années 1990, la confession selon laquelle Maurice Agnelet avait assassiné Agnès Le Roux ; le témoignage de Patrick Poivre affirmant qu'un jour où Maurice Agnelet le menaçait physiquement, l'ayant attrapé par les vêtements et plaqué*

le long d'un mur, il lui avait alors dit qu'une "deuxième Agnès Le Roux dans sa vie ferait désordre". Maurice Agnelet l'avait aussitôt lâché ; le témoignage de M. P., l'assureur, qui a affirmé qu'Agnès lui avait indiqué le 26 octobre 1977 qu'elle devait se rendre en Italie ; le témoignage de Marc T. qui a affirmé qu'à la fin du mois d'octobre 1977, alors qu'il lui proposait de venir passer quelques jours chez lui, Agnès Le Roux lui avait dit qu'elle partait en voyage en Sicile.

La région de Monte Cassino se trouve effectivement sur le chemin entre Nice et la Sicile.

Il résulte en outre d'une lettre de Jean-Charles Le Roux que ce dernier évoque un entretien qu'il a eu avec Régis F., le fils de Françoise Lausseure, en 1990 approximativement, à l'occasion duquel celui-ci aurait évoqué qu'il devait s'intéresser à la ville de Cassino.

Maurice Agnelet a donc volontairement donné la mort à Agnès Le Roux entre le 26 octobre et le 2 novembre 1977 ; le dessein criminel de l'accusé s'est formé préalablement au meurtre, dès le début du processus d'appropriation de l'argent au détriment d'Agnès Le Roux, auquel celle-ci risquait de mettre fin à tout moment.

Vu la déclaration de la cour et du jury, rendue sur les questions posées par Monsieur le Président ; considérant qu'il résulte de la déclaration de la cour et du jury réunis et à la majorité de huit voix au moins que Maurice Agnelet est coupable d'avoir :

– À Nice (Alpes-Maritimes), à Cassino, province de Frosinone (Italie), entre le 26 octobre et le 2 novembre 1977, volontairement donné la mort à Agnès Le Roux, avec cette circonstance que l'accusé Maurice Agnelet avait, préalablement à sa commission, formé le dessein de commettre ce meurtre ;

Que les faits déclarés établis par la cour et le jury réunis constituent le crime d'assassinat, prévu et réprimé par les articles 121-3, 221-1, 221-3, 221-8, 221-9, 132-23 et 132-72 du code pénal ;

Faisant application desdits articles dont il a été donné lecture par Monsieur le Président :

Condamne Maurice Agnelet à la peine de VINGT ANS de réclusion criminelle. »

À Sophie et Laurent, les originels.
À la rude affection de Jean-Paul et Constance.
À la générosité de Pierre L. (et Pascaline) dont j'ai abusé.
À la Listire et à tout ce qu'elle protège.

DU MÊME AUTEUR

Aux Éditions Les Arènes

LE MONDE : LES GRANDS PROCÈS (1944-2010), avec Didier Rioux, 2009 (Pocket, 2012).

LE PROCÈS DE JACQUES CHIRAC, avec Françoise Fressoz, 2010.

Aux Éditions L'Iconoclaste

LA DÉPOSITION, 2016 (Folio n° 6455, 2018).

JOURS DE CRIMES, avec Stéphane Durand-Souffland, 2018.

Aux Éditions Arkhê

LA PART DU JUGE. Chroniques mordantes de la société française vue du prétoire, 2017.

Aux Éditions du Lombard

LE PROCÈS CARLTON, avec les illustrations de François Boucq, 2015.

COLLECTION FOLIO

Dernières parutions

6174. Fabrice Humbert	*Éden Utopie*
6175. Ludmila Oulitskaïa	*Le chapiteau vert*
6176. Alexandre Postel	*L'ascendant*
6177. Sylvain Prudhomme	*Les grands*
6178. Oscar Wilde	*Le Pêcheur et son Âme*
6179. Nathacha Appanah	*Petit éloge des fantômes*
6180. Arthur Conan Doyle	*La maison vide* précédé du *Dernier problème*
6181. Sylvain Tesson	*Le téléphérique*
6182. Léon Tolstoï	*Le cheval* suivi d'*Albert*
6183. Voisenon	*Le sultan Misapouf et la princesse Grisemine*
6184. Stefan Zweig	*Était-ce lui ?* précédé d'*Un homme qu'on n'oublie pas*
6185. Bertrand Belin	*Requin*
6186. Eleanor Catton	*Les Luminaires*
6187. Alain Finkielkraut	*La seule exactitude*
6188. Timothée de Fombelle	*Vango, I. Entre ciel et terre*
6189. Iegor Gran	*La revanche de Kevin*
6190. Angela Huth	*Mentir n'est pas trahir*
6191. Gilles Leroy	*Le monde selon Billy Boy*
6192. Kenzaburô Ôé	*Une affaire personnelle*
6193. Kenzaburô Ôé	*M/T et l'histoire des merveilles de la forêt*
6194. Arto Paasilinna	*Moi, Surunen, libérateur des peuples opprimés*
6195. Jean-Christophe Rufin	*Check-point*
6196. Jocelyne Saucier	*Les héritiers de la mine*
6197. Jack London	*Martin Eden*
6198. Alain	*Du bonheur et de l'ennui*
6199. Anonyme	*Le chemin de la vie et de la mort*
6200. Cioran	*Ébauches de vertige*
6201. Épictète	*De la liberté*
6202. Gandhi	*En guise d'autobiographie*
6203. Ugo Bienvenu	*Sukkwan Island*
6204. Moynot – Némirovski	*Suite française*
6205. Honoré de Balzac	*La Femme de trente ans*

6206. Charles Dickens	*Histoires de fantômes*
6207. Erri De Luca	*La parole contraire*
6208. Hans Magnus Enzensberger	*Essai sur les hommes de la terreur*
6209. Alain Badiou – Marcel Gauchet	*Que faire ?*
6210. Collectif	*Paris sera toujours une fête*
6211. André Malraux	*Malraux face aux jeunes*
6212. Saul Bellow	*Les aventures d'Augie March*
6213. Régis Debray	*Un candide à sa fenêtre. Dégagements II*
6214. Jean-Michel Delacomptée	*La grandeur. Saint-Simon*
6215. Sébastien de Courtois	*Sur les fleuves de Babylone, nous pleurions. Le crépuscule des chrétiens d'Orient*
6216. Alexandre Duval-Stalla	*André Malraux - Charles de Gaulle : une histoire, deux légendes*
6217. David Foenkinos	*Charlotte*, avec des gouaches de Charlotte Salomon
6218. Yannick Haenel	*Je cherche l'Italie*
6219. André Malraux	*Lettres choisies 1920-1976*
6220. François Morel	*Meuh !*
6221. Anne Wiazemsky	*Un an après*
6222. Israël Joshua Singer	*De fer et d'acier*
6223. François Garde	*La baleine dans tous ses états*
6224. Tahar Ben Jelloun	*Giacometti, la rue d'un seul*
6225. Augusto Cruz	*Londres après minuit*
6226. Philippe Le Guillou	*Les années insulaires*
6227. Bilal Tanweer	*Le monde n'a pas de fin*
6228. Madame de Sévigné	*Lettres choisies*
6229. Anne Berest	*Recherche femme parfaite*
6230. Christophe Boltanski	*La cache*
6231. Teresa Cremisi	*La Triomphante*

6262. Alain Jaubert — *Palettes*
6263. Jean-Paul Kauffmann — *Outre-Terre*
6264. Jérôme Leroy — *Jugan*
6265. Michèle Lesbre — *Chemins*
6266. Raduan Nassar — *Un verre de colère*
6267. Jón Kalman Stefánsson — *D'ailleurs, les poissons n'ont pas de pieds*
6268. Voltaire — *Lettres choisies*
6269. Saint Augustin — *La Création du monde et le Temps*
6270. Machiavel — *Ceux qui désirent acquérir la grâce d'un prince...*
6271. Ovide — *Les remèdes à l'amour* suivi de *Les Produits de beauté pour le visage de la femme*
6272. Bossuet — *Sur la brièveté de la vie* et autres sermons
6273. Jessie Burton — *Miniaturiste*
6274. Albert Camus – René Char — *Correspondance 1946-1959*
6275. Erri De Luca — *Histoire d'Irène*
6276. Marc Dugain — *Ultime partie. Trilogie de L'emprise, III*
6277. Joël Egloff — *J'enquête*
6278. Nicolas Fargues — *Au pays du p'tit*
6279. László Krasznahorkai — *Tango de Satan*
6280. Tidiane N'Diaye — *Le génocide voilé*
6281. Boualem Sansal — *2084. La fin du monde*
6282. Philippe Sollers — *L'École du Mystère*
6283. Isabelle Sorente — *La faille*
6285. Jules Michelet — *Jeanne d'Arc*
6286. Collectif — *Les écrivains engagent le débat. De Mirabeau à Malraux, 12 discours d'hommes de lettres à l'Assemblée nationale*
6287. Alexandre Dumas — *Le Capitaine Paul*
6288. Khalil Gibran — *Le Prophète*

6289. François Beaune	*La lune dans le puits*
6290. Yves Bichet	*L'été contraire*
6291. Milena Busquets	*Ça aussi, ça passera*
6292. Pascale Dewambrechies	*L'effacement*
6293. Philippe Djian	*Dispersez-vous, ralliez-vous !*
6294. Louisiane C. Dor	*Les méduses ont-elles sommeil ?*
6295. Pascale Gautier	*La clef sous la porte*
6296. Laïa Jufresa	*Umami*
6297. Héléna Marienské	*Les ennemis de la vie ordinaire*
6298. Carole Martinez	*La Terre qui penche*
6299. Ian McEwan	*L'intérêt de l'enfant*
6300. Edith Wharton	*La France en automobile*
6301. Élodie Bernard	*Le vol du paon mène à Lhassa*
6302. Jules Michelet	*Journal*
6303. Sénèque	*De la providence*
6304. Jean-Jacques Rousseau	*Le chemin de la perfection vous est ouvert...*
6305. Henry David Thoreau	*De la simplicité !*
6306. Érasme	*Complainte de la paix*
6307. Vincent Delecroix/ Philippe Forest	*Le deuil. Entre le chagrin et le néant*
6308. Olivier Bourdeaut	*En attendant Bojangles*
6309. Astrid Éliard	*Danser*
6310. Romain Gary	*Le Vin des morts*
6311. Ernest Hemingway	*Les aventures de Nick Adams*
6312. Ernest Hemingway	*Un chat sous la pluie*
6313. Vénus Khoury-Ghata	*La femme qui ne savait pas garder les hommes*
6314. Camille Laurens	*Celle que vous croyez*
6315. Agnès Mathieu-Daudé	*Un marin chilien*
6316. Alice McDermott	*Somenone*
6317. Marisha Pessl	*Intérieur nuit*
6318. Mario Vargas Llosa	*Le héros discret*
6319. Emmanuel Bove	*Bécon-les-Bruyères* suivi du *Retour de l'enfant*
6320. Dashiell Hammett	*Tulip*
6321. Stendhal	*L'abbesse de Castro*

6322. Marie-Catherine Hecquet — *Histoire d'une jeune fille sauvage trouvée dans les bois à l'âge de dix ans*
6323. Gustave Flaubert — *Le Dictionnaire des idées reçues*
6324. F. Scott Fitzgerald — *Le réconciliateur* suivi de *Gretchen au bois dormant*
6325. Madame de Staël — *Delphine*
6326. John Green — *Qui es-tu Alaska ?*
6327. Pierre Assouline — *Golem*
6328. Alessandro Baricco — *La Jeune Épouse*
6329. Amélie de Bourbon Parme — *Le secret de l'empereur*
6330. Dave Eggers — *Le Cercle*
6331. Tristan Garcia — *7. romans*
6332. Mambou Aimée Gnali — *L'or des femmes*
6333. Marie Nimier — *La plage*
6334. Pajtim Statovci — *Mon chat Yugoslavia*
6335. Antonio Tabucchi — *Nocturne indien*
6336. Antonio Tabucchi — *Pour Isabel*
6337. Iouri Tynianov — *La mort du Vazir-Moukhtar*
6338. Raphaël Confiant — *Madame St-Clair. Reine de Harlem*
6339. Fabrice Loi — *Pirates*
6340. Anthony Trollope — *Les Tours de Barchester*
6341. Christian Bobin — *L'homme-joie*
6342. Emmanuel Carrère — *Il est avantageux d'avoir où aller*
6343. Laurence Cossé — *La Grande Arche*
6344. Jean-Paul Didierlaurent — *Le reste de leur vie*
6345. Timothée de Fombelle — *Vango, II. Un prince sans royaume*
6346. Karl Ove Knausgaard — *Jeune homme, Mon combat III*
6347. Martin Winckler — *Abraham et fils*

Composition Nord Compo
Impression Novoprint
à Barcelone, le 02 février 2018
Dépôt légal : février 2018
ISBN 978-2-07-269665-7./Imprimé en Espagne.